Г.М. Копытин

ОЧЕНЬ ПРОСТО!
Русский язык для начинающих

VERY SIMPLE!
Russian To Beginners

МОСКВА
2012

УДК 811.161.1
ББК 81.2 Рус-96
К65

Художник В.Г. Алексеев

Копытина, Г.М.
К65 **Очень просто!** Русский язык для начинающих / Г.М. Копытина. — М.: Русский язык. Курсы, 2012. — 152 с.

ISBN 978-88337-292-5

Цель учебника — быстро научить иностранных учащихся использовать нужные слова в конкретной обстановке.

Грамматические сведения русского языка изложены в очень простой форме с опорой на английский язык. Элементарные объяснения помогают учащемуся легко усвоить главные аспекты русской грамматики. Новые слова вводятся через диалог, контекст и в лексико-грамматических конструкциях. Такой подход позволяет учащемуся самостоятельно строить предложения, выражать свои мысли и участвовать в разговоре.

Книга предназначена для индивидуальных занятий с преподавателем или на краткосрочных курсах.

К учебнику прилагается диск с записью диалогов, текстов и фонетического материала.

ISBN 978-88337-292-5

УСЛОВНЫЕ ОБОЗНАЧЕНИЯ И СОКРАЩЕНИЯ
SYMBOLS AND ABBREVIATIONS

ИК — интонационная конструкция: ИК-1, ИК-2, ИК-3, ИК-4, ИК-5.
↗ — резкое повышение тона в центре ИК-3.

Падежи / Cases

Nom. — Nominative/ Именительный падеж
Gen. — Genitive / Родительный падеж
Dat. — Dative / Дательный падеж
Acc. — Accusative / Винительный падеж
Instr. — Istrumental / Творительный падеж
Prep. — Prepositional / Предложный падеж

Род существительных / Gender of Nouns

masc. — masculine / мужской род
fem. — feminine / женский род
neutr. — neuter / средний род

Местоимение / Pronoun

Poss. pron. — Possesive pronoun / притяжательное местоимение

Глаголы / Verbs

Inf. — infinitive / инфинитив
Pres. — present tense / настоящее время
Past — past tense / прошедшее время
Fut. — future tense / будущее время
Imp. — imperat ive / императив

sing. — singular / единственное число
pl. — plural / множественное число

t — твёрдый согласный

СОДЕРЖАНИЕ
CONTENTS

ПРЕПОДАВАТЕЛЮ

Мы назвали эту книгу «Очень просто!», потому что наша цель — как можно скорее научить иностранных учащихся использовать нужные русские слова в конкретной обстановке.

Грамматические сведения о русском языке изложены в очень простой форме, с опорой на английский язык, что позволяет учащемуся самостоятельно строить предложения, выражать свои мысли и участвовать в разговоре. Иными словами, учащийся получает основы грамматики через коммуникацию. Элементарные объяснения помогают ему легко усвоить главные аспекты русской грамматики. Исключено всё то, что трудно усваивается учащимися на начальном этапе обучения.

Новые слова вводятся через диалог, контекст или в разделе «Very useful words» в лексико-грамматических конструкциях. В квадратных скобках представлена фонетическая транскрипция труднопроизносимых слов и конструкций.

Грамматические упражнения способствуют переходу от механического употребления форм и конструкций к использованию их в речи. Такой способ представления материала значительно облегчает самостоятельную работу учащегося, но книга рассчитана прежде всего на работу с преподавателем, владеющим методикой преподавания РКИ.

Наша книга не является базовым учебником, поэтому мы не считаем необходимым производить поурочную дозировку материала, это зависит только от вас... Однако учащийся способен за один час занятий активно усвоить материал в объёме 2–3-х страниц книги. «Обзорные страницы» не являются формой контроля, они предназначены для активизации и закрепления ранее усвоенных знаний и служат для стимулирования творческой активности.

К учебнику прилагается диск с записью диалогов, текстов и фонетического материала.

Эта книга — первый шаг, чтобы «попробовать» один из труднейших языков мира. И хотя это «прикосновение» к русской грамматике достаточно короткое, оно даст хороший результат.

Удачи вам!

DEAR STUDENTS! DEAR READERS!

This book is not pretended to be a serious, basic textbook. We called it: “Very Simple”, because we wanted to teach you as soon as possible “to say necessary words in necessary situation...”. But it is not typical phrase book because it gives you the system of Russian grammar in a very simple form and forces you to construct your own sentences, to express your thoughts, to participate in conversations ... etc.

Anyway, you will get here the basic grammatical concepts through communication. This textbook does not contain vocabulary list because very often we give you new words as a part of dialogue, context of conversation. You can find it in a special chapter which is called “Very useful words”. Grammatical explanations and practice are presented in a simple form, and you will be comfortable with the use of basic “building blocks” of Russian grammar: Noun, Pronoun, Adjective declensions and Verbal conjugations. But we did non give you here any irregular or exceptional form. We explained only the main functions of cases but not all of them!

This is your first step “to touch” one of the most difficult languages, and exercises within each grammar section progress from mechanical to more open-ended and feauture situations that require certain structures in conversation. But, of course, you cannot do it without Tutor. It is possible to go through 2–3 pages for one hour of class. So, your course of Russian at a glance may be short and give a good result...

Good luck!

РУ́ССКИЙ АЛФАВИ́Т
RUSSIAN ALPHABET

Letter	Hand-written	English equivalent
А а	*А а*	**a** as in *father*
Б б	*Б б*	**b** as in *bank*
В в	*В в*	**v** as in *vet*
Г г	*Г г*	**g** as in *gas*
Д д	*Д д*	**d** as in *debt*
Е е	*Е е*	**ye** as in *yes*, **e** as in *vet*
Ё ё	*Ё ё*	**yo** as in *York*, **o** as in *shop*
Ж ж	*Ж ж*	**zh** as in *pleasure*
З з	*З з*	**z** as in *Zoo*
И и	*И и*	**i** as in *feet*
Й й	*Й й*	**y** as in *may*, or i
К к	*К к*	**k** as in *book*
Л л	*Л л*	**l** as in *lamp*
М м	*М м*	**m** as in *map*
Н н	*Н н*	**n** as in *no*
О о	*О о*	**o** as in *stop*

Letter	Hand-written	English equivalent
П п	*П п*	**p** as in *pet*
Р р	*Р р*	trilled **r**
С с	*С с*	**s** as in *son*
Т т	*Т т*	**t** as in *tap*
У у	*У у*	**u** as in *book*
Ф ф	*Ф ф*	**f** as in *fat*
Х х	*Х х*	**kh** as in *hand*
Ц ц	*Ц ц*	**ts** as in *cats*
Ч ч	*Ч ч*	**ch** as in *chin*
Ш ш	*Ш ш*	**sh** as in *short*
Щ щ	*Щ щ*	**shch**
ъ	*ъ*	hard *mark*
ы	*ы*	y as in *we*
ь	*ь*	soft *mark*
Э э	*Э э*	**e** as in *map*
Ю ю	*Ю ю*	**yu** as in *Yule* or **u** as in *put*
Я я	*Я я*	**ya** as in *yacht* or **a** as in *chance*

Не́которые ру́сские имена́ / Some Russian names

Nickname	Women's full name	English	Nickname	Men's full name	English
Са́ша	Алекса́ндра	Alexandra	Са́ша	Алекса́ндр	Alexander
Аня	Анна	Anna	Алёша, Лёша	Алексе́й	Alexis
Ве́ра	Ве́ра	Vera	Андрю́ша	Андре́й	Andrew
Да́ша	Да́рья	Darya	Анто́ша	Анто́н	Antony
Ка́тя	Екатери́на	Katherine	Бо́ря	Бори́с	Boris
Ле́на	Еле́на	Helen	Ва́ся	Васи́лий	Basil
Лю́ба	Любо́вь	Charity, Amy	Ви́тя	Ви́ктор	Victor
Ма́ша	Мари́я	Mary	Ва́ня	Ива́н	John, Ivan
Ната́ша	Ната́лия	Natalie	Ми́ша	Михаи́л	Michael
Оля	Ольга	Olga	Ко́ля	Никола́й	Nicolas

Memorize

We pronounce

О → [о] — стоп, он (under the stress)
О → [а] — рестора́н [restaran] (without stress)
Е, Я → [i] — метро́ [mitro] (without stress)

Now try to read and guess the meaning of Russian words.

Банк, стоп, факс, сорт, спорт, парк.

Ко́фе, кафе́, кино́, фильм, метро́, ра́дио, гара́ж, монта́ж, фо́то, фи́рма, о́фис.

Маши́на, компью́тер, телефо́н, кассе́та, газе́та, магази́н, рестора́н, проспе́кт, бульва́р, компа́ния.

Аме́рика, Африка, Росси́я, Англия, Ита́лия, Фра́нция.

Ста́нция, организа́ция, коопера́ция, револю́ция, консульта́ция.

Диста́нция, резиде́нция, конфере́нция.

Э́ТО ...
THIS IS ...

Это парк.	This is a park.	**Что э́то?**	What is this?
Это ма́ма.	This is a mother.	**Кто э́то?**	Who is this?

Кто э́то? [kto éta?]
Это ма́ма.
Это па́па.
Это брат.
Это сестра́. [sistra]
Это ба́бушка. (grandmother)
Это де́душка. (grandfather)

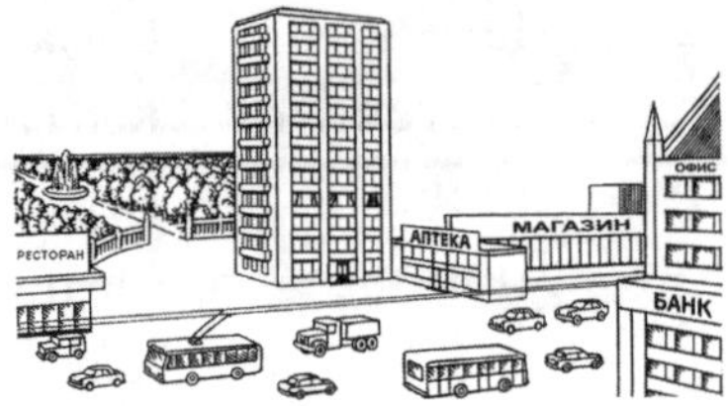

Что э́то? [shto éta?]
Это банк.
Это маши́на.
Это рестора́н.
Это апте́ка.
Это о́фис.
Это магази́н.

Look at the pictures. Put the questions and give the answers.

Ли́чные местоиме́ния / Personal pronouns

Я	[ya]	I	**Мы**	[my]	We
Ты	[ty]	You	**Вы**	[vy]	You
Он	[on]	He	**Они́**	[ani]	They
Она́	[ana]	She			
Оно́	[ano]	It			

Кто э́то? — Это я.
Кто э́то? — Это брат. Это он.
Кто э́то? — Это ма́ма. Это она́.
Что э́то? — Это кино́, фо́то, кафе́. Это оно́.

Род существи́тельных / Gender of nouns

Russian nouns can be classified as to the form of the ending to the three genders.

masculine	feminine	neuter
кто? что?	*кто? что?*	*что?*
*, **-ь**, **-й**	**-а**, **-я**, **-ь**	**-о**, **-е**
он банк, брат, секретá**рь**, музé**й**	**онá** маши́н**а**, сестр**á**, Росси́**я**, доч**ь**, мáм**а**	**онó** фóт**о**, каф**é**
but папа		

* Means that at the end of word may be any consonant — банк, магази́н, студе́нт...

Текст / Text

Я Джон Смит. Я дире́ктор фи́рмы. А э́то Мэ́ри, сестра́. Она́ секрета́рь фи́рмы. А кто вы?

Try to guess the meaning of words.

Это ма́ма и па́па. Это сын. Это дочь. Они́ брат и сестра́. Сын — студе́нт университе́та, а дочь — студе́нтка ко́лледжа. Па́па — банки́р, а ма́ма — журнали́ст.

Интонацио́нные констру́кции / Constructions of Russian intonation

ИК-1 — information, statements or answering the question — the tune is slowly falling down: — — ⌝ —

Это ма́ма. Я студе́нт. Он дире́ктор.

ИК-2 — question beginning with question-word (e.g. Who? What?) — high falling tune: ▬ — ⌝ —

Кто э́то? — Это ма́ма. Что э́то? — Это парк.

ИК-3 — question without question word — tune is quickly rising up on the logical center of the question. This kind of question needs the answer *yes* or *no*: — — ∧ —

Он студе́нт? — Да. (Да, он студе́нт.)	Is he a student? — Yes. (Yes, he is...)
Это ма́ма? — Нет. (Нет, э́то сестра́.)	Is this mother? — No. (No, it's a sister.)
Вы инжене́р? — Да, я инжене́р.	Are You an engineer? — Yes. I am an engineer.

Пра́ктика

- **Read the questions with a right type of intonation. Answer the questions.**

1. Вы инжене́р?
2. Вы до́ктор?
3. Кто вы?
4. Это Москва́?
5. Это о́фис?
6. Па́па бизнесме́н?
7. Ма́ма дире́ктор?
8. Брат спортсме́н?
9. Сестра́ студе́нтка?

- **Put different questions to the pictures and give the answer.**

- **If you want, show your pictures to the teacher and give the commentary.**

Very useful words

да ≠ нет	yes ≠ no
Спаси́бо! [spasíba]	Thank you!
Пожа́луйста! [pazhálusta]	Please... You are welcome!
Здра́вствуйте! [zdrástvuyte]	Hello!
До свида́ния! [dasvidániya]	Goodbye!
Очень прия́тно! [ochin' priyátna]	Nice to meet you!
хорошо́ ≠ пло́хо [kharashó ≠ plókha]	good, well ≠ bad

Диало́ги / Dialogues

1. — Здра́вствуйте! Я Джон Смит. Я инжене́р.
   — Очень прия́тно! Я Мэ́ри Джо́нсон. Я ме́неджер фи́рмы IBM.
   — Очень прия́тно! А кто э́то?
   — Это мой брат, Билл. Он студе́нт. Билл, э́то инжене́р Джон Смит.
   — Здра́вствуйте! Очень прия́тно!

2. — Я журнали́ст. А кто вы?
   — Я студе́нт университе́та.

3. — Здра́вствуйте! Вы Анто́н Ивано́в?
   — Да. Я Анто́н Ивано́в. Очень прия́тно!

Using this dialogue as a model introduce yourself.

ПРИВЕ́ТСТВИЯ / GREETINGS

Здра́вствуйте! [zdrástvuyte]	Hello!
До́брое у́тро! [dóbraye útra]	Good morning!
До́брый день! [dóbryi den']	Good day!
До́брый ве́чер! [dóbryi vécher]	Good evening!
Приве́т! [privét]	Hi!

ПРОЩА́НИЯ / GOODBYE WORDS

До свида́ния! [da͡svidányа]	Good bye!
До за́втра! [da͡záftra]	See you tomorrow!
Всего́ хоро́шего! [fsiv'o har'ósheva]	All the best!
Пока́! [paká]	So long! Bye-bye!

Как дела́? Как ва́ши дела́? [kak delá? kak váshe delá?]
How are you? How is your doing?

хорошо́ [kharashó]	good	**норма́льно** [narmál'na]	O.K!	**пло́хо** [plókha]	bad
о́чень хорошо́	very good	**ничего́** [nichevó]	O.K!	**о́чень пло́хо**	very bad
прекра́сно [priekrásna]	fine	**так себе́** [ták͡sebe]	so-so	**ужа́сно** [uzhásna]	awful
		непло́хо [neplókha]	not bad		

Диало́ги

1. — Здра́вствуйте!
— Здра́вствуйте!
— Как дела́?
— Спаси́бо, хорошо́. А как ва́ши дела́?
— То́же хорошо́, спаси́бо.

2. — До́брое у́тро!
— Здра́вствуйте!
— Как ва́ши дела́?
— Прекра́сно! А ва́ши?
— Пло́хо.

3. — Приве́т!
— Приве́т!
— Ну, как дела́?
— Ничего́. А ва́ши как?
— Прекра́сно!

Complete next dialogs.

1. — До́брый день!
— ...
— Как дела́?
— Спаси́бо, прекра́сно!

2. — Здра́вствуйте!
— До́брый день!
— ...
— Ничего́. А ва́ши?
— Норма́льно, спаси́бо.

You must compose your own dialog.

2-1563

ИК-4 — short question beginning with *А* ... Slow and smoothy rising tune:

— _ /‾

— Я студе́нт. А вы?	— I am a student. And you?
— Как ва́ши дела́?	— How are you?
— Прекра́сно! А ва́ши?	— Fine! And you?

This kind of question we use only in dialogues.

Very useful words

непло́хо	not bad
Я не зна́ю.	I don't know.
Я не понима́ю. [ya ne panimáyu]	I don't understand.
Извини́те. [izveníte]	Excuse me = Pardon, me.
Большо́е спаси́бо! [bal'shóye spasíba]	Thank you so much!

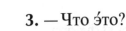

Диало́ги

1. — Приве́т, Са́ша! Как дела́?
   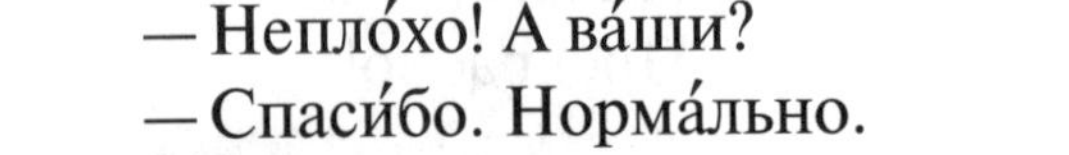
   — Непло́хо! А ва́ши?
   — Спаси́бо. Норма́льно.
   — Пока́!
   — До свида́ния.

2. — Анна, кто э́то?
   — Я не зна́ю.

3. — Что э́то?
   — Я не зна́ю, что э́то ...

4. — Это фа́брика?
   — Извини́те, я не понима́ю.
   — О, извини́те! ...Is it a factory?
   — Oh, yes! It is a factory ... Да-да, я понима́ю ... Это фа́брика.
   — Большо́е спаси́бо.

КАК ВАС ЗОВУ́Т?
WHAT IS YOUR NAME?

— **Как вас зову́т?** [kak vazzavút?] What is your name?
— **Меня́ зову́т** ... [meniá zavút] My name is ...

— Как вас зову́т?
— Меня́ зову́т Билл.

— Как вас зову́т?
— Меня́ зову́т Анна. А вас?
— А меня́ зову́т Билл.

— Как вас зову́т?
— Меня́ зову́т Анна. А как вас зову́т?
— А меня́ зову́т Билл. Очень прия́тно.

ОТКУ́ДА?
WHERE FROM?

— **Отку́да** вы? [atkúda vy?] Where are you from?
— **Я из** ... [ya iz ...] I am from ...

— Отку́да вы?
— Я из Ло́ндона. А вы?
— А я из Москвы́.

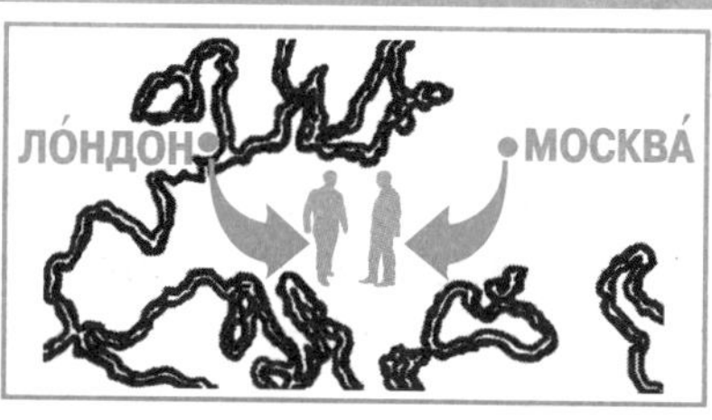

Отку́да?

из	Ло́ндон**а** Си́дне**я**	(*masc.*, *neutr.* -а, -я)	из	Москв**ы́** Росси**и**	(*fem.* -ы, -и)

If we put preposition **из** (from), we always must change the endings of nouns. They are different and depend on gender of the noun:

masc. and neutr.: -**а** or -**я** (instead of the last letter -**й**, -**ь**, -**е**), fem.: -**ы** or -**и** (instead of the last letter -**а**, -**я**, -**ь**).

Это Ло́ндон. — Я из Ло́ндон**а**. Это Дже́ксонвил**ь**. — Я из Дже́ксонвил**я**.

Это Си́дне**й**. — Я из Си́дне**я**.

Это Москв**а́**. — Я из Москв**ы́**. Это Нева́д**а**. — Я из Нева́д**ы**. Это Ита́ли**я**. — Я из Ита́ли**и**.

Rule 1: If a foreign word has no ending similar to the Russian grammar form, we never change such kinds of words:

Я из Де́ли. Я из Нью-Дже́рси. Я из Пуэ́рто-Ри́ко.

Rule 2: After Russian letters **к**, **г**, **х**, **ч**, **ж**, **ш**, **щ** and instead of **ь** we newer write ...**ы** — we write ONLY and ALWAYS ...-**и**:

Я из Аме́ри**ки**. Я с Аля́с**ки**. Я из Пра́**ги**, *но* Я из Москв**ы́**.

к, г, х, ч, ж, ш, щ, ...ь + и instead of **ы**

Question **Отку́да?** we use if we want to know from what geographic place a person is, and also from what place he (or she) is coming:

— **Отку́да** ты?	— From where are you (coming)?
— **Я из магази́на**.	— I am (coming) from the store.

Диало́ги

1\.

— До́брый день! Я Ви́ктор. Я инжене́р из Москвы́. А как вас зову́т? Отку́да вы?	— Good day! I am Viktor. I am an engineer from Moscow. And what is your name?
— Меня́ зову́т Анна. Я из Чика́го.	— My name is Anna. I am from Chicago.
— Ооо! Вы из Аме́рики?	— Oh! Are you from America?
— Да, я из Аме́рики.	— Yes, I am from America.
— Вы то́же инжене́р?	— Are you also an engineer?
— Нет, я ме́неджер фи́рмы IBM.	— No, I am a manager of the firm IBM.
— Очень прия́тно!	— Nice to meet you!

2\.

— Приве́т, Са́ша! Отку́да ты?	— Hi, Sasha! Where are you from?
— Здра́вствуй, Ви́ктор. Я из клу́ба. А ты?	— I'm coming from the club. And you?
— Я из кино́.	— I am coming from cinema.
— Как фи́льм?	— How was movie?
— Ничего́!	— O.K.!
— Ну, до свида́ния!	— Well, goodbye!
— Пока́!	— So long!

Translate this dialogue and answer the questions:
Отку́да Ива́н? Отку́да Бори́с?

— Извини́те, я не зна́ю, как вас зову́т.
— Меня́ зову́т Ива́н. А как вас зову́т?
— Меня́ зову́т Бори́с. Очень прия́тно!
— Очень прия́тно! Бори́с, вы из Москвы́?
— Да, я из Москвы́. А вы отку́да, Ива́н?
— Я из Петербу́рга.

Compose your own dialogue N4, using questions:
Как вас зову́т? Отку́да вы? Кто вы?

Текст

Здра́вствуйте! Меня́ зову́т Ива́н Петро́в. Я инжене́р из Москвы́. А э́то мой друг (my friend) Ви́ктор. Он до́ктор.

— До́брый день, Ви́ктор. Как дела́?

— Приве́т, Ива́н. Мои́ дела́ хорошо́. А как ты?

— Спаси́бо, прекра́сно! Я иду́ (I am going) из кино́. Фильм о́чень хоро́ший. А ты отку́да?

— Я из магази́на.

— До свида́ния!

— Пока́, Ива́н!

Using this text as a model, compose your own, changing the names, profession and places, from where they are coming. Perhaps, you'll change and greetings?

Имени́тельный и вини́тельный падежи́ ли́чных местоиме́ний / Nominative and Accusative case for Personal Pronouns

Question *What is your name?* in Russian sounds like: *How do they call you (or him, her..?)* — so, these pronouns are the objects in the question. And in Russian asking your name sounds as:

— Как **вас (его́, её, нас, их)** зову́т? — How do they call you (him, her, us, them)?

— **Меня́ (его́, её, нас, их)** зову́т ... — They call me (him, her, us, them) ...

Nominative case	**я**	**ты**	**он**	**она́**	**мы**	**вы**	**они́**
Accusative case	**меня́**	**тебя́**	**его́**	**её**	**нас**	**вас**	**их**

Memorize

Letter **г** in position between letters **е** and **о** or **о** and **о** we pronounse as **в**:

-его- [yevo], -ого- [ovo].

Я	— **Меня́** зову́т ...		**Мы**	— **Нас** зову́т ...
Ты	— Как **тебя́** зову́т? — **Меня́** зову́т ...		**Вы**	— Как **вас** зову́т? — **Меня́** зову́т ... *или* — Нас зову́т ...
Он	— Как **его́** зову́т? — **Его́** [yevó] зову́т ...		**Они́**	— Как **их** зову́т? — **Их** зову́т ...
Она́	— Как **её** зову́т? — **Её** зову́т ...			

Это мой брат. Его́ зову́т Са́ша. Это моя́ сестра́. Её зову́т Ната́ша. Это мои́ ма́ма и па́па. Их зову́т Анна и Ива́н.

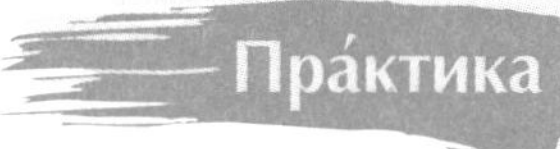

Пра́ктика

Maybe, you have some photos. Tell about. For example:

Это ма́ма. Её зову́т ... Она́ инжене́р ... etc.

Ask the teacher about people(things) on her(his) pictures.

Very useful words

Ско́лько? [skol'ka]	How much = How many?
Ско́лько сто́ит? Ско́лько э́то сто́ит?	How much is it? = How much does it cost?
до́рого [dóraga] (**недо́рого**) [nedóraga]	Expensive ... not expensive ...
Это сли́шком [slíshkam] **до́рого!**	It is too expensive!
Да́йте (мне) [dáyte mne] ...	Give me ...
Да́йте, пожа́луйста ...	Give me please ...
Я возьму́ э́то [ya vaz'mú éta] ...	I will take it ...
Скажи́те, пожа́луйста [skazhíte pazhálusta] ...	Tell me, please ...
Скажи́те, пожа́луйста, ско́лько э́то сто́ит?	Tell me, please, how much is it?

ДАВА́ЙТЕ ПОСЧИТА́ЕМ!
LET US COUNT!

Коли́чественные числи́тельные / Cardinal numbers

1–10	11–19	20, 30	40
1 оди́н одна́ одно́ 2 два две 3 три 4 четы́ре 5 пять 6 шесть 7 семь 8 во́семь 9 де́вять 10 де́сять 0 ноль	надцать	дцать дцать	со́рок

11–19 — оди́ннадцать, двена́дцать, трина́дцать, четы́рнадцать, пятна́дцать, шестна́дцать, семна́дцать, восемна́дцать, девятна́дцать

50–80	90	100	200 300 400	500–900
пять шесть семь во́семь → десят	девяно́сто	сто	две́сти три́ста четы́реста	пять шесть семь во́семь → сот

1 000 — (одна́) ты́сяча [týsicha or týsh'a]
1 000 000 — (оди́н) миллио́н
1 000 000 000 — (оди́н) миллиа́рд

Пра́ктика

Чита́йте / Read.

1 — оди́н, 11 — оди́ннадцать, 111 — сто оди́ннадцать, 1111 — ты́сяча сто оди́ннадцать ...

2 — два, 12 — двена́дцать, 22 — два́дцать два, 112 — сто двена́дцать ...

3 — три, 13 — трина́дцать, 33 — три́дцать три, 333 — три́ста три́дцать три ...

9 — де́вять, 19 — девятна́дцать, 99 — девяно́сто де́вять, 219 — две́сти девятна́дцать ...

20 — два́дцать, 320 — три́ста два́дцать, 529 — пятьсо́т два́дцать де́вять ...

15 — ..., 26 — ..., 41 — ..., 54 — ..., 72 — ..., 77 — ..., 89 — ..., 100 — ..., 400 — ...

Memorize

1 (оди́н)	до́ллар	рубл**ь**	1 (одна́)	ты́сяч**а**
2 (два), 3, 4	до́ллар**а**	рубл**я́**	2 (две), 3, 4	ты́сяч**и**
5–20	до́ллар**ов**	рубл**е́й**	5–20	ты́сяч

1 (оди́н) до́ллар, 3 до́ллара, 5, 15, 20, 40 до́лларов,
но 21 до́ллар, 32 до́ллара, 58, 100, 1000 до́лларов ...

1 (оди́н) рубль, 3 рубля́, 5, 15, 20, 40 рубле́й,
но 21 рубль, 32 рубля́, 58, 100, 1000 рубле́й ...

1 (одна́) ты́сяча, 3 ты́сячи, 5, 15, 20, 40 ты́сяч,
но 21 000 — два́дцать одна́ ты́сяча (до́лларов, рубле́й),
32 000 — три́дцать две ты́сячи (до́лларов, рубле́й),
100 000 — сто ты́сяч (до́лларов, рубле́й).

МАГАЗИ́Н
STORE, SHOP

Диало́ги

1. — **Ско́лько сто́ит ..?**	— How much is it?
— 5 рубле́й.	— 5 roubles.
2. — **Скажи́те, пожа́луйста**, ско́лько э́то сто́ит?	— Tell me please, how much is it?
— 32 рубля́.	
3. — Скажи́те, пожа́луйста, ско́лько э́то сто́ит?	
— 25 (два́дцать пять) рубле́й.	
— **Хорошо́, я возьму́ э́то.**	— Good. I'll take it.
— Пожа́луйста.	— You are welcome...
— Спаси́бо.	
4. — **Да́йте, пожа́луйста, э́то ...**	— Give me please this one ...
— Пожа́луйста.	
5. — Скажи́те, пожа́луйста, ско́лько э́то сто́ит?	
— 120 (сто два́дцать) рубле́й.	
— **О нет! Это сли́шком до́рого.** А э́то ско́лько?	— Oh! No. It is too expensive.
— 70 (се́мьдесят) рубле́й.	
— **Да. Это я возьму́.**	— Yes, that maybe (I'll take it).
6. — **Да́йте, пожа́луйста, э́то, э́то и э́то.**	— Give me please this and this one.
— Пожа́луйста.	
— **Ско́лько с меня́?** [skól'ka s͡minía]	— How much shall I pay?
— С вас 82 (во́семьдесят два) рубля́.	— You will pay ...

Very useful words

a half	**полови́на (пол)** [palavína (pol)]
half a kilo	**полкило́** [polkiló]
a quarter	**че́тверть** [chétvirt’]
ten of a kind	**деся́ток** [diesíatak]
a little	**ма́ло** [mála]
too little	**сли́шком ма́ло** [slíshkam mála]
a little less	**поме́ньше** [pamen’she]
a lot	**мно́го** [mnóga]
too much	**сли́шком мно́го** [slíshkam mnóga]
a little more	**побо́льше** [paból’she]
a pair	**па́ра** [para]
one time	**оди́н раз** [adín ras]
2–4 times	**2–4 ра́за** [dva ... ráza]
5–20, many times	**5–20, мно́го раз** [5 ... ras, mnóga ras]
one more time	**ещё раз** [yiesh’ó ras]

Магази́ны / Supermarket or grocery

универса́м = гастроно́м = проду́кты
[uneversám] [gastranóm] [pradúkty]

хлеб = бу́лочная [hliep] [búlachnaya]	Bread or bakery
бу́лочная-конди́терская [búlachnaya-kandíterskaya]	pastry shop
мя́со [míasa]	butcher shop
ры́ба [rýba]	fish shop
о́вощи-фру́кты [óvash'i-frúkty]	vegetable and fruit store

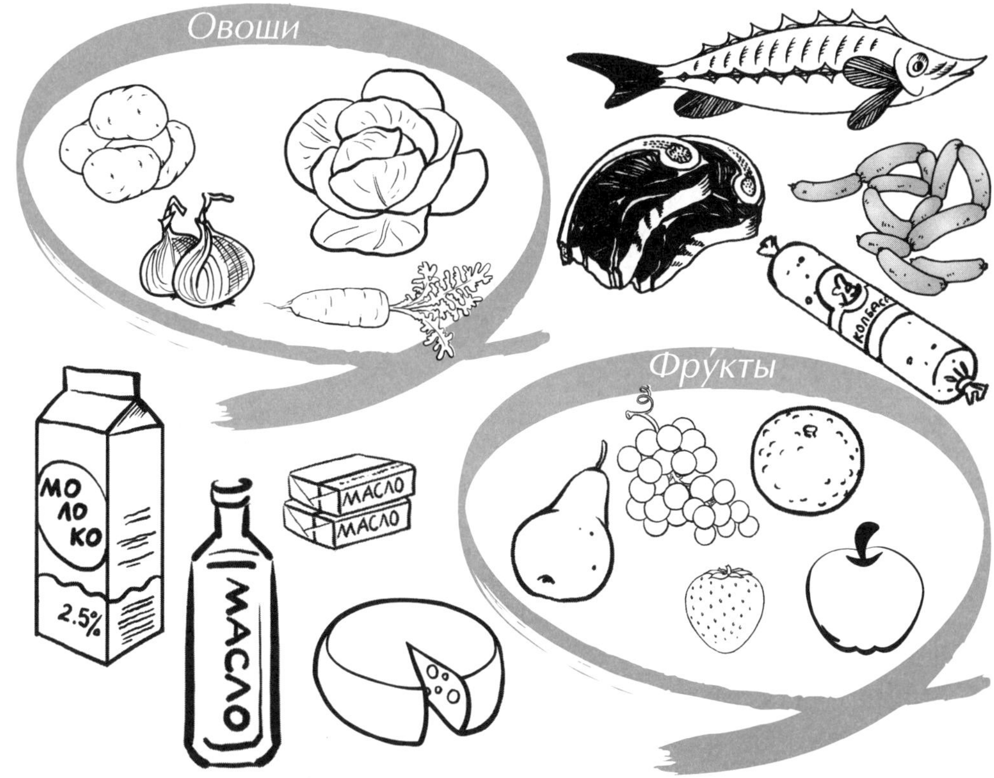

Овощи

Фру́кты

Диало́ги

1. — Пожа́луйста, карто́шка — 2 кило́, лук — 300 грамм, морко́вь — полкило́.
   — Всё? — Is that all?
   — Нет. Пожа́луйста, я́блоки — 1 килогра́мм и апельси́ны — то́же 1 килогра́мм.
   — Пожа́луйста. С вас 270 (две́сти се́мьдесят) рубле́й.
   — Вот 500 (пятьсо́т) рубле́й.
   — Вот проду́кты и сда́ча 230 (две́сти три́дцать) рубле́й.

2. — Да́йте, пожа́луйста, сыр.
— Ско́лько?
— Полкило́.
— Пожа́луйста. Что ещё? [shto ischo] — What else?
— Колбаса́. Грамм 300 (три́ста).
— 450 (четы́реста пятьдеся́т) грамм.
— Нет, э́то мно́го. Поме́ньше.
— 350 (три́ста пятьдеся́т). Хва́тит? — Is it enough?
— Да, хорошо́.

Магази́н «Хлеб» / Bakery

хлеб	bread
бе́лый	white
чёрный	brown
бато́н, бу́лка, бу́лочка	form and size of the white bread
буха́нка	form and size of the brown bread
пече́нье, кре́кер	cookie
пиро́г	pie
пиро́жное	pastry
торт	cake

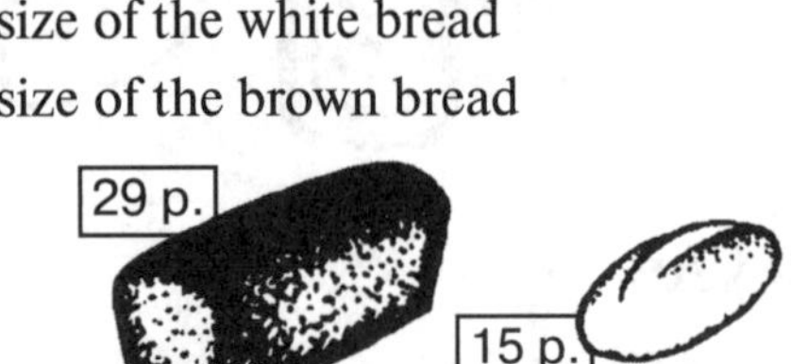

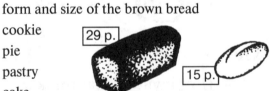

Диало́ги

1. — **Да́йте, пожа́луйста,** э́тот бе́лый и э́тот чёрный хлеб. Ско́лько с меня́? — Give me please this white and this one brown bread ... How much shall I pay?
— **С вас** 50 рубле́й. — You will pay ...
— Спаси́бо. — Thank you.

2. — **Ско́лько сто́ит пече́нье?** — How much is this cookie?
— 32 рубля́.
— Вот 50 рубле́й.
— **Вот, пожа́луйста,** пече́нье и **сда́ча** — 18 рубле́й. — This is your cookie and change ...

3. — Да́йте, пожа́луйста, бато́н и 2 (две) бу́лочки.
— Пожа́луйста, с вас 51 рубль.
— Вот, пожа́луйста, 100 рубле́й.
— **Вот сда́ча** 49 рубле́й.
— Спаси́бо.

Магази́н «Пода́рки, сувени́ры» / Gift, souvenir store

матрёшка	matrioshka
самова́р	samovar
альбо́м	album
откры́тка	postcard
карти́на	picture
игру́шка	toy
бу́сы	necklace

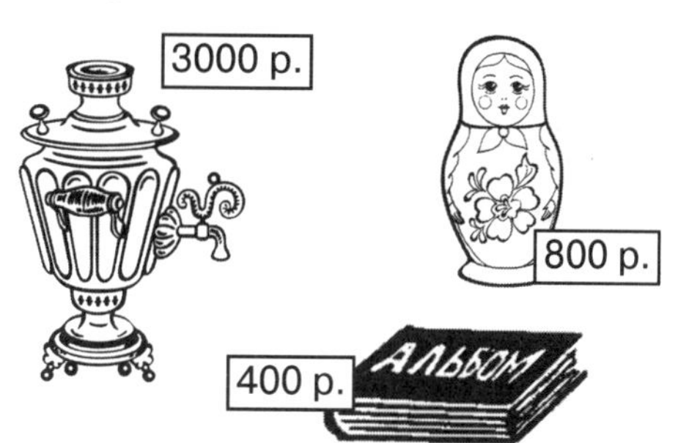

Диало́ги

1. — Да́йте, пожа́луйста, э́то и э́то.
— Пожа́луйста.
— Ско́лько сто́ит?
— Это сто́ит 80 рубле́й, а э́то — 90.
— **Нет, я возьму́ то́лько э́то.** — No, I'll take only this one ...
— Пожа́луйста, с вас 80 рубле́й.

2. — Да́йте, пожа́луйста, альбо́м, самова́р и матрёшку. Ско́лько с меня́?

— Give me please this album, samovar and matrioshka. How much shall I pay?

— Альбо́м — 400 рубле́й, самова́р — 3000 рубле́й и матрёшка — 800 рубле́й. С вас 4200 рубле́й.

— Вот, пожа́луйста, 5000 рубле́й.

— Возьми́те сувени́ры. Сда́ча — 800 рубле́й.

What do you want to buy? Make your own dialog.

3 Рестора́н, кафе́ / Restaurant, cafe

Меню́

Заку́ски — Appetizers

икра́:	caviar	грибы́	mushrooms
зерни́стая	black caviar	бутербро́д	sandwich
кето́вая	red caviar		

Сала́ты — Salads

сала́т из кра́бов	crab salad	сала́т «Столи́чный»	potato salad
сала́т из помидо́ров	tomato salad		
сала́т из огурцо́в	cucumber salad	винегре́т	beet salad

Пе́рвые блю́да — The first cours

борщ	beet soup	суп-лапша́	noodle soup
щи	cabbage soup	уха́	fish soup
бульо́н	boullion		

Вторы́е блю́да — The second cours

ры́ба	fish	осетри́на	sturgeon
карп	carp	балы́к	filet of fish
сельдь	herring		

Десе́рты	Desserts		
моро́женое	ice cream	торт	cake
фру́кты	fruits	пиро́жное	pastry

Напи́тки	Drinks		
пи́во	beer	сла́дкое вино́	sweet wine
вино́	wine	кра́сное вино́	red wine
сухо́е вино́	dry wine	бе́лое вино́	white wine

Мя́со / Meat

говя́дина	beef	котле́та	cutlet
теля́тина	veal	свина́я отбивна́я	pork cutlet
свини́на	pork	котле́та по-ки́евски	chicken-Kiev
бара́нина	lamb	котле́ты «Пожа́рские»	beef-cutlet

жа́реный	fried	варёный	boiled
печёный	baked	тушёный	stewed

Пти́ца / Poultry

ку́рица / цыплёнок	chicken	гусь	goose
		фаза́н	pheasant
у́тка	duck	инде́йка	turkey

бефстро́ганов, ро́стбиф, шни́цель, бифште́кс, рагу́, гуля́ш, пельме́ни

Very useful words

Счёт, пожа́луйста! [sh'ot pazhálusta]	The check, please!
Это вам.	This is for you.
Сда́чи не на́до. [zdáche ne náda]	Keep the change.
официа́нт [afetsyánt]	waiter
по́рция [pórtsyía]	portion
Что вы хоти́те заказа́ть? [shto vy hat'íte zakazát']	What would you like to order?

3-1563

Диало́ги

В рестора́не

1. — До́брый ве́чер! Меню́, пожа́луйста. Спаси́бо! Так (so) ... Пожа́луйста, сала́т «Столи́чный» — 2, борщ — 2, котле́та по-ки́евски — 2.
— Напи́тки?
— Да, 2 ко́фе и во́ду (water), пожа́луйста.
— Так, хорошо́: сала́т — 2, борщ — 2, котле́та по-ки́евски — 2, ко́фе — 2, вода́, десе́рт — нет. Мину́точку! [minutʌchku] (one moment!)

...

— Официа́нт, счёт, пожа́луйста!
— Вот, пожа́луйста. — Here it is...
— Пожа́луйста. Сда́чи не на́до. Всё бы́ло вку́сно! [fsie bylo fkusnʌ] Спаси́бо, до свида́ния! — Everything was delicious.
— До свида́ния! Всего́ хоро́шего! Приходи́те ещё! — All the best! Come again!

2. — До́брый ве́чер! Что вы хоти́те заказа́ть?
— До́брый ве́чер! Я хочу́ (I want) шни́цель и пи́во. А ты?
— Мне, пожа́луйста, сала́т из кра́бов и немно́го вина́.
— Вино́ бе́лое?
— Да, бе́лое сухо́е.
— Так, шни́цель, пи́во, сала́т из кра́бов и бе́лое вино́. Мину́точку!

...

— О, всё о́чень вку́сно! Но я хочу́ десе́рт. Официа́нт!
— Да, слу́шаю вас! — I am listenning to you!
— Пожа́луйста, оди́н ко́фе, оди́н чай и два пиро́жных. И счёт, пожа́луйста.

— Вот ко́фе, чай (tea), пиро́жные. Вот счёт. С вас 850 рубле́й.
— Спаси́бо. Вот 1000 рубле́й.
— Вот сда́ча. Всего́ хоро́шего! Приходи́те ещё!
— До свида́ния!

Заку́сочные / Fastfood Restaurants

карто́фель фри	fried potatoes	с собо́й	out
больша́я по́рция	big	здесь	here
де́тское меню́	Happy Meal		

Диало́ги

В Макдо́налдсе

1. — Ка́сса свобо́дна! Здра́вствуйте, слу́шаю вас. — Hello! I am listening to you.
— Пожа́луйста, чи́збургер и ко́ка-ко́лу станда́рт.
— Что ещё?
— Да, карто́фель фри большо́й.
— Пожа́луйста, с вас 101 (сто оди́н) рубль.

2. — Пожа́луйста, де́тское меню́, биг мак — 2, пе́пси — 2. — Happy Meal
— С собо́й и́ли здесь? — Out or here?
— Здесь. — Here.
— Пожа́луйста. С вас 300 (три́ста) рубле́й. Приходи́те ещё! — Come again!

KFC

— Здра́вствуйте! Что вы хоти́те?	— What would you like?
— Пожа́луйста, меню́ «Класси́к».	
— Напи́тки?	— Any drinks?
— Да, чай.	tea
— С собо́й и́ли здесь?	
— С собо́й.	Out.
— Пожа́луйста. С вас 190 (сто девяно́сто) рубле́й.	

Very useful words

Вку́сно. Очень вку́сно! [fkúsna, ochen' fkúsna!]	Tasty, delicious!
Я хочу́ ... [ya hachú ...]	I want ...
Я хочу́ немно́го воды́	I want some water
с га́зом	sparkling
без га́за	without gase
Что вы хоти́те? Что ты хо́чешь? [shto vy hatíte? shto ty hóchesh?]	What do you want? (*plural or formal sing.*)
Я хочу́ заказа́ть ... [ya hachu zakazát'...]	I want to order ...
Я хочу́ заказа́ть сала́т и мя́со.	I want to order salad and meat.
Я хочу́ есть. [ya hachú yest']	I want to eat.
Я хочу́ пить. [ya hachú pit']	I want to drink.
немно́го [nemnóga]	A little ... not so much ...
Всего́ хоро́шего! [fsivó harósheva]	All the best! = Goodbye!

Текст

Я о́чень хочу́ есть. Вот кафе́. А вот меню́. Так ... Заку́ски — сала́т из помидо́ров и огурцо́в. Это хорошо́ — я возьму́. Пе́рвые блю́да — борщ, суп, уха́ ... Нет, я не хочу́ суп. Так, а что на второ́е? О, мно́го: мя́со, котле́ты, ку́рица, ры́ба ... Я возьму́ котле́ты «Пожа́рские» — э́то недо́рого и вку́сно. Десе́рт я не возьму́, но я хочу́ пить.

— Официа́нт, пожа́луйста! Я хочу́ заказа́ть сала́т из помидо́ров и огурцо́в, котле́ты «Пожа́рские», ко́фе и лимона́д. Ско́лько с меня́?

...

— Как хорошо́! Вку́сно и недо́рого! Спаси́бо большо́е. До свида́ния!

— До свида́ния! Всего́ хоро́шего! Приходи́те ещё!

ВРЕ́МЯ
TIME

1 (оди́н) час	[chas]	1 hour	1 (одна́) мину́т**а**	[minúta]	1 minute
2–4 час**а́**	[chesá]		2–4 мину́т**ы**	[minúty]	
5–20 час**о́в**	[chesóf]		5–20 мину́т	[minút]	

— **Ско́лько вре́мени? = Кото́рый час?** What time is it?
— 2.20 (2 часа 20 минут).

1. — Ско́лько вре́мени? [skol'ka vrémeny?]
— 15.30 (пятна́дцать часо́в три́дцать мину́т).

2. — Кото́рый час? [katóryĭ chas?]
— 10.30 (де́сять часо́в три́дцать мину́т).

3. — Скажи́те, пожа́луйста, ско́лько вре́мени?
— 2.20 (два часа́ два́дцать мину́т).

4. — Скажи́те, пожа́луйста, кото́рый час?
— 1.00 (час).

5. — Ско́лько вре́мени? = Кото́рый час?
3.00 — три часа́, 5.00 — пять часо́в, 1.00 — час,
2.00 — два часа́, 10.00 — де́сять часо́в.

6. — Ско́лько вре́мени? = Кото́рый час?
1.05 — оди́н час пять мину́т, 2.04 — два часа́ четы́ре мину́ты, 15.10 — пятна́дцать часо́в де́сять мину́т, 12.21 — двена́дцать часо́в два́дцать одна́ мину́та.

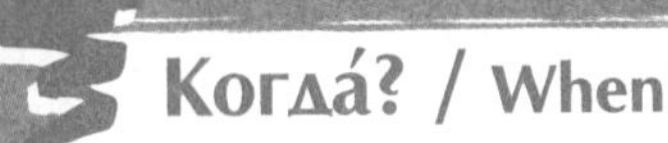

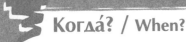

Когда́? / When?

в 1.00 — **в** час
в 2.00 — **в** два **часа́**
в 15.10 — **в** пятна́дцать **часо́в** де́сять **мину́т**
в 20.00 — **в** два́дцать **часо́в**

In Russian we can use 12-hours circle, adding words: morning, day, evening, night.

10.00 — де́сять часо́в **утра́** и де́сять часо́в **ве́чера**	Ten o'clock in the morning and ten o'clock in the evening
2.00 — два часа́ **но́чи** и два часа́ **дня**	Two o'clock a.m. (night) and 2.00 p.m. (day)

Memorize

You can say in Russian:

1.00 a.m. — час но́чи, **1.00 p.m. — час дня**, 13.00 — трина́дцать часо́в.

6.00 a.m. — шесть часо́в утра́, **6.00 p.m. — шесть часо́в ве́чера**, 18.00 — восемна́дцать часо́в.

Когда́? —	в 10 часо́в	в 22 часа́	в 10 часо́в утра́	в 10 часо́в ве́чера
When? —	at 10.00	at 22.00	at 10 a.m.	at 10.p.m.

— **Когда́** [kagdá] фильм? — When will the movie be?

— В во́семь часо́в ве́чера. — At 8.00 p.m.

— Когда́ уро́к? — When will the lesson be?

— В 18.30 (в восемна́дцать три́дцать и́ли в шесть три́дцать ве́чера). — At 18.30, or at six thirty in the evening.

— Скажи́те, пожа́луйста, фильм в 10 часо́в **ве́чера и́ли утра́**? — Tell me please, is the movie at 10 p.m. or 10 a.m.?

— В 10 ве́чера (в 22 часа́) — At 10 p.m. — 22.00.

— **Ско́лько вре́мени?**
— 2 часа́.
— А конце́рт когда́, в 6?
— Нет, в 7 часо́в.

— Са́ша, когда́ уро́к?
— В 9.30.
— Когда́? В 10.30?
— Нет, в 9 часо́в 30 мину́т.

Very useful words

Когда́?

в час	at one o'clock	**вчера́** [fchirá]	yesterday
в 2–4 часа́	at 2–4 o'clock	**сего́дня** [sivódnia]	today
в 5 часо́в	at 5–20 o'clock	**за́втра** [záftra]	tomorrow
ра́ньше [rán'she]	before	**у́тром** [útrom]	in the morning
сейча́с [seychás]	now	**днём** [dniom]	in the afternoon
пото́м [patóm]	later	**ве́чером** [vécheram]	in the evening
по́сле [pósle]	after	**но́чью** [nóchyu]	at night

Дни неде́ли	Days of the week	**1 неде́ля — 7 дней**	
понеде́льник [pan'edél'n'ik]	Monday		**в понеде́льник**
вто́рник [ftórn'ik]	Tuesday		**во вто́рник**
среда́ [sridá]	Wednesday		**в сре́ду**
четве́рг [chetvérk]	Thursday	*Когда́?*	**в четве́рг**
пя́тница [piátn'itsa]	Friday		**в пя́тницу**
суббо́та [subóta]	Saturday		**в суббо́ту**
воскресе́нье [vaskr'es'énye]	Sunday		**в воскресе́нье**

— Когда́ конце́рт? — Сего́дня ве́чером в 7 часо́в.	— When will the concert be? — Tonight at 7.00 p.m.
— Когда́ уро́к? — В сре́ду в 18 часо́в 30 мину́т.	— When will the lesson be? — On Wednesday at 18.30.

Диало́ги

1. — Са́ша, когда́ конце́рт?
   — Я не зна́ю. Ду́маю (I think), за́втра.
2. — Опера сего́дня?
   — Нет, в пя́тницу.
3. — Когда́ фильм?
   — В сре́ду.
4. — Экза́мен за́втра?
   — Да.
   — Когда́? В 10 часо́в?
   — Нет, ду́маю, в 9.
5. — Скажи́те, пожа́луйста, когда́ бале́т?
   — Я не зна́ю то́чно (exactly). Я ду́маю, в воскресе́нье ве́чером.
   — Ве́чером? Это хорошо́.
6. — Извини́те, я не зна́ю, когда́ уро́к — во вто́рник и́ли в четве́рг.
   — Уро́к в четве́рг в 7 часо́в ве́чера.

Глаго́лы / Russian Verbs

Russian has two conjugations of verbs. In any dictionary you will find the infinitive, the basic form — usually it has the ending **-ть**.

Russian verbs are conjugated, which means that each person has a different ending. The endings for Present Tense form of a verb are:

Гру́ппа I				Гру́ппа II			
Я	**-ю (-у)**	Мы	**-ем**	Я	**-ю (-у)**	Мы	**-им**
Ты	**-ешь**	Вы	**-ете**	Ты	**-ишь**	Вы	**-ите**
Он, она́	**-ет**	Они́	**-ют (-ут)**	Он, она́	**-ит**	Они́	**-ят (-ат)**

Memorize Memorizing the endings for both groups enables you to conjugate any regular Russian verb.

What are our steps?

1 Find in the dictionary the infinitive form and recognize group of the verb. Usually (but not always!) group **I** has the infinitive ending **-ать**, **-ять**, and group **II** has the endings **-ить**, **-еть**.

Гру́ппа I — зна́**ть** (to know), ду́м**ать** (to think), рабо́т**ать** (to work), де́л**ать** (to do), гуля́**ть** (to go for a walk).

Гру́ппа II — говор**и́ть** (to speak, to tell), смотр**е́ть** (to look, to watch), люб**и́ть** (to love).

2 Get the stem of any verb — it will be without endings **-ть** (гру́ппа **I**) and **-ить**, **-еть** (гру́ппа **II**):

зна..., работа..., говор..., смотр... etc.

3 Add the person's endings:

(гру́ппа I)	**(гру́ппа II)**
Я зна́**ю**, ду́ма**ю**, рабо́та**ю** ...	Я говор**ю́**, смотр**ю́** ...
Ты зна́**ешь**, ду́ма**ешь**, рабо́та**ешь** ...	Ты говор**и́шь**, смо́тр**ишь** ...

рабо́тать (to work)		**говори́ть** (to speak)	
Я рабо́та**ю**	Мы рабо́та**ем**	Я говор**ю́**	Мы говор**и́м**
Ты рабо́та**ешь**	Вы рабо́та**ете**	Ты говор**и́шь**	Вы говор**и́те**
Он рабо́та**ет**	Они́ рабо́та**ют**	Он говор**и́т**	Они́ говор**я́т**
Она́ рабо́та**ет**		Она́ говор**и́т**	

4 It is very important in Russian to pay attention to question. So, for any kind of the infinitive we have a question ***"What to do?"*** — Что де́лать? And like in English, we put different questions to different persons: ***What are you doing*** — Что ты де́лаешь? (Что вы де́лаете?) ***What does he (or she) do?*** — Что он (и́ли она́) де́лает?

And the question ending helps us to give the right form of answer:

— Что де́лает студе́нт? — What does the student do?
— Он чита́ет. — He reads.

Что **ты** де́ла**ешь**? — Я рабо́таю, говорю́, смотрю́ ...

Что **вы** де́ла**ете**? — Мы рабо́таем, говори́м, смо́трим ...

Что **Вы** де́ла**ете**? — Я рабо́таю, говорю́, смотрю́ ... (formal You — *sing.*)

Что он де́ла**ет**? — Он рабо́тает, говори́т, смо́трит ...

Что де́ла**ет** студе́нт? — Студе́нт (он) рабо́тает, говори́т, смо́трит ...

Что де́ла**ет** студе́нтка? — Студе́нтка (она́) рабо́тает, говори́т, смо́трит ...

Диало́ги

1. *Телефо́н*

— Алло́! Здра́вствуй, Са́ша! — Hello, Sasha!
— Приве́т, Ива́н! Как дела́? — Hi, Ivan! How are you?
— Спаси́бо, хорошо́. Ты из институ́та? — Thanks, fine! Are you calling from the institute?
— Да, я сейча́с рабо́таю. А ты что де́лаешь? — Yes, I am working now. And what are you doing?
— А я смотрю́ телеви́зор. Америка́нский футбо́л. — I'm watching TV. American football.
— О! Это интере́сно! **Извини́, что помеша́л.** Пока́! — Oh! That's interesting! Excuse me for interruption. See you!
— До за́втра, Ива́н! — See you tomorrow, Ivan!

2. — Ты сего́дня рабо́таешь?
— Утром. А днём и ве́чером я не рабо́таю.

3. — **Что де́лает Са́ша?**
— Он смо́трит телеви́зор и чита́ет журна́л.
— **А ты что де́лаешь?**
— Я чита́ю газе́ту.

4. — **Что ты лю́бишь?** (Что вы лю́бите?) — What do you like (love)?
— Я люблю́ чита́ть, смотре́ть телеви́зор. — I like (love) to read, to watch TV.

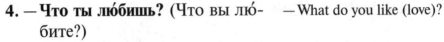

Спряже́ние глаго́лов / Verbal Conjugation

Present Tense

Гру́ппа I		**Гру́ппа II**	
рабо́тать (to work)		говори́ть (to speak)	
Я рабо́та**ю**	Мы рабо́та**ем**	Я говор**ю́**	Мы говор**и́м**
Ты рабо́та**ешь**	Вы рабо́та**ете**	Ты говор**и́шь**	Вы говор**и́те**
Он(а́) рабо́та**ет**	Они́ рабо́та**ют**	Он(а́) говор**и́т**	Они́ говор**я́т**
(чита́ть / to read, де́лать / to do, ду́мать / to think, знать / to know)		(смотре́ть / to look, кури́ть / to smoke, стро́ить / to build	
Гру́ппа Ia		**Гру́ппа IIa**	
идти́ (to go)		люби́ть (to love)	
Я ид**у́**	Мы ид**ём**	Я любл**ю́**	Мы лю́б**им**
Ты ид**ёшь**	Вы ид**ёте**	Ты лю́б**ишь**	Вы лю́б**ите**
Он(а́) ид**ёт**	Они́ ид**у́т**	Он(а́) лю́б**ит**	Они́ лю́б**ят**
(жить / to live, ждать / to wait, нести́ / to carry)		(спать / to sleep, гото́вить / to cook or to prepare)	

Гру́ппа Ib

танц**ева́**ть (to dan), организ**ова́**ть (to manage)

Я танц**у́ю**, организ**у́ю**	Мы танц**у́ем**, организ**у́ем**
Ты танц**у́ешь**, организ**у́ешь**	Вы танц**у́ете**, организ**у́ете**
Он(а́) танц**у́ет**, организ**у́ет**	Они́ танц**у́ют**, организ**у́ют**

Conjugate next verbs in the Present Tens.

Чита́ть (to read), ду́мать (to think), слу́шать (to listen), звони́ть (to call, to phone), по́мнить (to remember), спать (to sleep), гуля́ть (to go for a walk).

Agree verbs ЖИТЬ (to live), ЗНАТЬ (to know) with persons.

Я живу́, зна́ю

он ...	ты ...	мы ...
она́ ...	вы ...	они́ ...

Past Tense

Инфинити́в	он	она́	они́
рабо́та-ть **говори́**-ть **жи**-ть **люби́**-ть **танцева́**-ть	+ **л**	+ **ла**	+ **ли**

Он рабо́та**л**, жи**л** ...; она́ рабо́та**ла**, жил**а́** ...; они́ рабо́та**ли**, жи́**ли** ...

Future Indefinite Tense	**Future Perfect Tense**
быть (to be) + infinitive	**купи́ть** Perfect form of a verb is conjugated like Pres. Tense
Я **бу́ду** Ты **бу́дешь** Он(а́) **бу́дет** Мы **бу́дем** Вы **бу́дете** Они́ **бу́дут** + инфинити́в	Я **куплю́** Ты **ку́пишь** Он(а́) **ку́пит** Мы **ку́пим** Вы **ку́пите** Они́ **ку́пят**
За́втра я бу́ду рабо́тать.	За́втра я куплю́ телеви́зор.

Я ме́неджер фи́рмы IBM. Я рабо́таю ка́ждый день. Утром в 8 часо́в я иду́ на рабо́ту, в 12 часо́в — ланч. Я обе́даю, немно́го чита́ю газе́ту и́ли журна́л, пото́м рабо́таю. В 17 часо́в я иду́ домо́й. До́ма я гото́влю у́жин, пото́м смотрю́ телеви́зор и́ли слу́шаю му́зыку и чита́ю. В суббо́ту я не рабо́таю, я люблю́ обе́дать в рестора́не, а пото́м иду́ на дискоте́ку и́ли в кино́.

I am the manager of the firm IBM. I work every day. At 8 o'clock in the morning I go to work. Lunch is at 12.00 — I have my lunch, read the newspaper or the magazin a little bit, after that I work. At 5.00 p.m. I go home. At home I cook dinner, after that I watch TV or listen to music and read. On Saturday I don't work, I like to eat in the restaurant, and after that I go to the discoclub or to the cinema.

In this text you've met the new words: **обе́дать** — to have lunch and **у́жин** — dinner (or supper). So, we give you here new Russian words: breakfast — **за́втрак**, to have breakfast — **за́втракать**, lunch and to have lunch: **обе́д — обе́дать**, and dinner (or supper) — to have dinner (or supper): **у́жин — у́жинать**. As you guess, these verbs belong to the I group of Russian verbs.

Try to conjugate these verbs.

за́втракать	**обе́дать**	**у́жинать**
Я за́втракаю	Я ...	Я ...
Ты ...	Ты обе́даешь	Ты ...
Он ...	Он ...	Он у́жинает
Мы за́втракаем	Мы ...	Мы ...
Вы за́втракаете	Вы ...	Вы ...
Они́ за́втракают	Они́ ...	Они́ ...

Using text 1 as a model, try to compose your own story about John, Anna and Anton.

а) Это Джон. Он ме́неджер.
б) Это Анна и Антóн. Они́ рабóтают в фи́рме IBM.

Скажи́те, пожа́луйста:

1. Когда́ вы за́втракаете? Обе́даете? Ужинаете?
2. Вы за́втракаете дóма? (at home)
3. Вы обе́даете дóма и́ли в рестора́не?
4. Вы у́жинаете в 7 и́ли в 8 часóв (ве́чера)?
5. В воскресе́нье вы обе́даете дóма и́ли в рестора́не?
6. Вы лю́бите обе́дать в рестора́не?
7. В суббóту вы рабóтаете?
8. Вы смóтрите телеви́зор ве́чером?
9. Что вы де́лаете ве́чером?
10. Вы лю́бите готóвить?
11. Сегóдня вы хоти́те у́жинать в рестора́не?

ХОТЕ́ТЬ, ЛЮБИ́ТЬ
TO WANT, TO LOVE

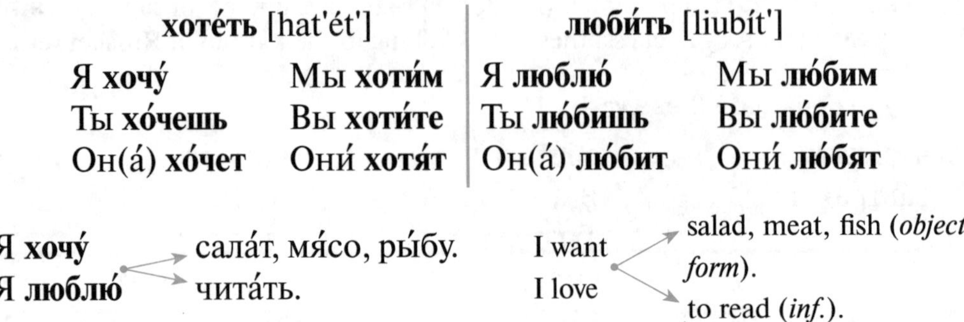

хоте́ть [hat'ét']		**люби́ть** [liubít']	
Я **хочу́**	Мы **хоти́м**	Я **люблю́**	Мы **лю́бим**
Ты **хо́чешь**	Вы **хоти́те**	Ты **лю́бишь**	Вы **лю́бите**
Он(а́) **хо́чет**	Они́ **хотя́т**	Он(а́) **лю́бит**	Они́ **лю́бят**

Я хочу́ → сала́т, мя́со, ры́бу.
Я люблю́ → чита́ть.

I want → salad, meat, fish (*object form*).
I love → to read (*inf.*).

Выраже́ние объе́кта — вини́тельный паде́ж / Object in Russian — Accusative case

Like in English, after verbs **хоте́ть** и **люби́ть** (to want and to love) we must use the direct object or infinitive:

Я хочу́ мя́со.	I want meat.
Я хочу́ обе́дать.	I want to have lunch.
Я люблю́ молоко́ и чай.	I like milk and tea.
Я люблю́ слу́шать ра́дио.	I like to listen to radio.

If we use a noun as the direct object after transitive verbs **хоте́ть**, **чита́ть**, **слу́шать** ... (to want, to read, to listen ...) we change the ending of a word:

Acc.

а → **у** Это Аме́рик**а**. → Я люблю́ Аме́рик**у**.

я → **ю** Это Росси́**я**. → Я люблю́ Росси́**ю**.

Это **Пари́ж**. Я люблю́ и хорошо́ зна́ю Пари́ж.
Это **Орла́ндо**. Я люблю́ и хорошо́ зна́ю Орла́ндо.

Это **Флори́да**. Я люблю́ и хорошо́ зна́ю Флори́д**у**.
Это **Калифо́рния**. Я люблю́ и хорошо́ зна́ю Калифо́рни**ю**.

Диало́ги

1. — Ты хо́чешь чай и́ли ко́фе?
— Я хочу́ чай.

2. — Что ты лю́бишь: вино́ и́ли во́дку?
— Я люблю́ пи́во.

3. — Что вы лю́бите?
— Я люблю́ ве́чером чита́ть газе́ту.

4. — Вы хоти́те мя́со и́ли ры́бу?
— Я хочу́ ры́бу.

5. — Вы лю́бите молоко́?
— Да, я о́чень люблю́ молоко́.

6. — Что вы хоти́те де́лать в суббо́ту?
— Я хочу́ смотре́ть фильм «Арти́ст».

Скажи́те, пожа́луйста:

1. Что вы хоти́те купи́ть в магази́не?
2. Что вы лю́бите де́лать в суббо́ту?
3. Вы мно́го звони́те днём?
4. Каки́е фру́кты (what kind) вы лю́бите?

4-1563

5. Что вы лю́бите: мя́со и́ли ры́бу?
6. Вы лю́бите кино́ и́ли теа́тр?
7. Вы лю́бите бале́т и́ли о́перу?
8. Вы лю́бите чита́ть?
9. Вы лю́бите футбо́л?
10. Что вы хоти́те де́лать за́втра?
11. Па́па лю́бит мя́со? А ма́ма?
12. Ма́ма и па́па лю́бят обе́дать в рестора́не?

Я МОГУ́ ..., Я ДО́ЛЖЕН ...
I CAN ..., I HAVE TO, I MUST ...

After russian words: **Я могу́** (I can ...) or **Я до́лжен** (I have to ..., I must ...) we also use infinitive:

Я **могу́ рабо́тать** в суббо́ту.	I can work on Saturday.
Я **до́лжен купи́ть** хлеб и молоко́.	I have to buy bread and milk.

Я **могу́** Ты **мо́жешь** Он(а́) **мо́жет** Мы **мо́жем** Вы **мо́жете** Они́ **мо́гут**	+ инфинити́в (рабо́тать, чита́ть ...)
Он **до́лжен** Она́ **должна́** Они́ **должны́**	+ инфинити́в (рабо́тать, чита́ть ...)

Диало́ги

1. — Ты хо́чешь сего́дня обе́дать в рестора́не?
— Извини́, не могу́. Я до́лжен рабо́тать. Но за́втра я могу́. Хо́чешь за́втра?
— Хорошо́, пойдём за́втра.

2. — Что ты де́лаешь ве́чером?
— Я должна́ гото́вить у́жин. Я пригото́влю сала́т, мя́со.

3. — Ма́ма мо́жет хорошо́ гото́вить суп, а па́па не мо́жет. Когда́ ма́ма рабо́тает, мы должны́ обе́дать в рестора́не.
— О, э́то хорошо́! Я то́же не могу́ и не люблю́ гото́вить, но я не могу́ обе́дать в рестора́не, э́то сли́шком до́рого.

4. — Извини́те, я не могу́ говори́ть по-ру́сски.
— А вы хоти́те говори́ть?
— Да, коне́чно. [kaniéshna] (of course = certainly = sure)
— Ну, вы должны́ мно́го рабо́тать.

5. — За́втра суббо́та, и я могу́ мно́го спать, но пото́м я до́лжен рабо́тать — чита́ть докуме́нты. А ты что де́лаешь за́втра?
— Я то́же хочу́ спать, а пото́м я до́лжен пойти́ в магази́н и купи́ть мно́го проду́ктов, а ве́чером мы должны́ гото́вить у́жин. Ма́ма, па́па, ба́бушка, де́душка и брат — мы хоти́м вку́сно поу́жинать до́ма. Хо́чешь поу́жинать с на́ми? (with us?)
— О, спаси́бо! С удово́льствием! [s udavól'stv'iyem] (Thank you! With pleasure!)
— Вот и хорошо́! Приходи́ за́втра в 7 часо́в.
— До за́втра!

Скажи́те, пожа́луйста:

1. Вы мо́жете говори́ть по-ру́сски? А по-францу́зски?
2. Вы мо́жете говори́ть по-неме́цки? (German) А по-кита́йски? (Chinese)
3. Вы мо́жете чита́ть ру́сские газе́ты?
4. Вы мо́жете гото́вить мя́со? А ры́бу?
5. Кто хорошо́ гото́вит мя́со: ма́ма и́ли па́па?
6. Что вы должны́ де́лать сего́дня ве́чером?
7. В суббо́ту вы должны́ пойти́ в магази́н?
8. Что вы должны́ купи́ть в магази́не?
9. За́втра вы должны́ мно́го рабо́тать?

ГДЕ?
WHERE?

In English, answering a question ***Where?*** we use different prepositions: in, at, on, near... etc. In Russian we use different prepositions also. ***But besides that*** we change the ending to the word:

— **Где** [gdie] **вы рабо́таете**?	— Where do you work?
— **В** магази́не.	— In the store.
— **В** Ло́ндон**е**.	— In London.
— **В** университе́т**е**.	— At the University.

If we mean location of the action, we use two prepositions in Russian: **в** (which means "inside of any space") and **на** (which means "on"). So, sometimes, there will be a difference between English and Russian:

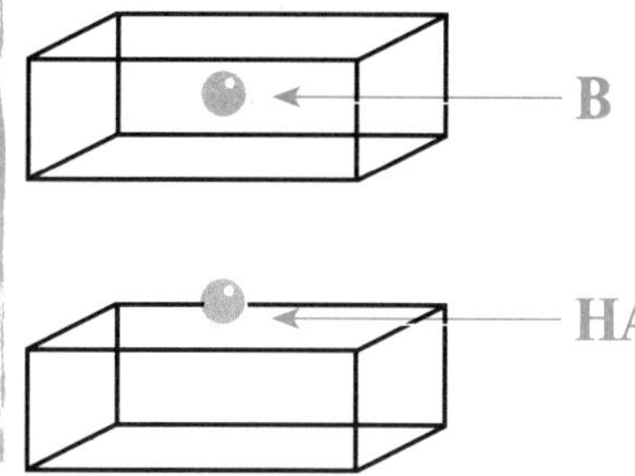

в столе́	in the table
в университе́те	at the University
в магази́не	in the store
на столе́	on the table
на у́лице	in the street
на пло́щади	in the squar

Где? → В / НА + ...-Е

Где? → В / НА + ...-И

Где?

в рестора́н**е**
в Москв**е́**
в Аме́рик**е**

в Росс**ии**, **в** Англ**ии**
в Твер**и́**
в зда́н**ии**

Notes:
-ия (Росс**и́я**, Англ**ия**)
-ь (Твер**ь**) — *fem.*
-ие (зда́н**ие**)

в кино́, **в** метро́,
в бюро́, **в** кафе́

Notes:
never change:
кино́, метро́, бюро́, кафе́

до́ма (at home)
здесь = тут (here)
там (there)

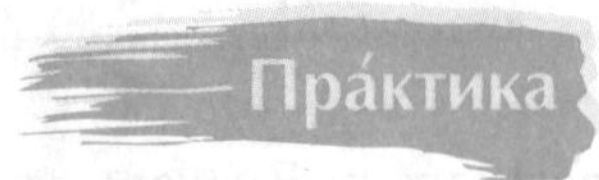

Скажи́те, пожа́луйста:

1. Где вы живёте: в Аме́рике и́ли в Росси́и?
2. Где вы рабо́таете: в ба́нке и́ли в фи́рме?
3. Где вы лю́бите смотре́ть фи́льмы: в кино́ и́ли до́ма?
4. Где вы чита́ете журна́лы: в библиоте́ке, в па́рке и́ли до́ма?
5. Где вы смо́трите телеви́зор?
6. Где вы за́втракаете?
7. Где вы лю́бите обе́дать в воскресе́нье: до́ма и́ли в рестора́не?
8. Где живу́т ма́ма и па́па? Где живёт де́душка?

Диало́ги

1. — Ви́ктор, где вы рабо́таете?
— Я рабо́таю в ба́нке. А вы?
— Я рабо́таю в компа́нии «Самсу́нг».

2. — Анна, где ты купи́ла костю́м?
— В магази́не ГУМ. Краси́во? (nice?)
— Да, о́чень краси́во!

3. — Где вы живёте?
— В Орла́ндо. А вы?
— Мы живём в Майа́ми.

4. — Вы живёте в Москве́?
— Нет, я живу́ в Петербу́рге, а мой брат живёт в Москве́.

5. — Джон, где ты **был** вчера́ ве́чером?
— До́ма. Смотре́л телеви́зор.

6. — Сего́дня ве́чером ты **бу́дешь** до́ма?
— Нет, я **бу́ду** у́жинать в рестора́не.

You can see in dialogues N 5 and 6 new verbs: **был ... бу́ду** — Past Tense and Future Tense of the verb **быть** (to be). Usually this verb does not exist in Present Tense, and we translate into Russian: I *am* the student — **Я студе́нт.** This *is* a brother — **Это брат.** I am at home — **Я до́ма.** But if we use the same construction in the Past or Future, we must use verb "to be" in Russian: I *was* a student — **Я был студе́нтом.** It *was* a brother — **Это был брат.** I *was* at home — **Я был до́ма.** Tomorrow I *will be* at home — **За́втра я бу́ду до́ма.**

Complete the dialogues.

1. — Где вы живёте и рабо́таете?
— ...

2. — ...
— Я живу́ в Аме́рике.

3. — ...
— Нет, я рабо́таю в ба́нке.

4. — В воскресе́нье ты бу́дешь до́ма?
— Да, ... А ве́чером мы бу́дем обе́дать в рестора́не. А ты где бу́дешь?
— ...

5. — ...
— Мы бы́ли в теа́тре, смотре́ли бале́т.
— Интере́сно бы́ло?
— ...

6. — Вы лю́бите обе́дать в рестора́не?
— ...

7. — Вы мо́жете говори́ть по-ру́сски?
— ...

ОБЗО́РНАЯ СТРАНИ́ЦА

By now you know the following russian questions and answers:

1. — **Кто (что) э́то?** — Who (what) is this?
   — Это ... — This is ...

   — Кто э́то? — Что э́то?
   — Это ма́ма. — Это магази́н.

2. — Это ма́ма? — Это магази́н? Is this a ...?
   — Да, э́то ма́ма. (Нет, ...) — Да, э́то магази́н. (Нет, ...) Yes, it is a ... (No.)

3. **Ско́лько?** How much? = How many?
   Ско́лько э́то сто́ит? How much is it?
   Ско́лько с меня́? How much shall I pay?
   1 до́ллар, рубль; 2–4 до́ллара, рубля́; 5–20 до́лларов, рубле́й ...

4. **Ско́лько вре́мени?** What time is it?
   1 час, мину́та; 2–4 часа́, мину́ты; 5–20 часо́в, мину́т ...

5. **Когда́?** When?
   В час; в 5 часо́в 30 мину́т ...
   В понеде́льник, в пя́тницу. Сего́дня, за́втра ... Ра́ньше, сейча́с ... Утром, ве́чером ...

6. — **Что вы де́лаете?** — What are you doing?
   — Я чита́ю. — I am reading.

7. — **Отку́да вы?** — Where are you from?
   — Я из Аме́рики, из Деле́нда. — I am from America, from Deland.

8. **Где?** — Where?

— Где ма́ма?
— Она́ до́ма ...
— Где вы живёте?
— Я живу́ в Аме́рике, в Росси́и ...

9. **Как?**... Как дела́? — How?... How are you?

— Как дела́?
— Спаси́бо, хорошо́.

10. — Как вас зову́т? — What is your name?
— Меня́ зову́т ... (Анна). — My name is ... Anna.

Пра́ктика

Try to read and translate this text. After that put some questions and answer them.

Сего́дня суббо́та, и я не рабо́таю — хорошо́! Утром, в 9 часо́в я за́втракаю — **ем** хлеб, сыр и **пью** ко́фе, чита́ю газе́ту, а пото́м иду́ в магази́н, потому́ что (because) хочу́ купи́ть мя́со, сыр, молоко́, йо́гурт, о́вощи, фру́кты. До́ма я гото́влю обе́д — немно́го: ве́чером я бу́ду у́жинать в рестора́не. Как хорошо́, что за́втра воскресе́нье и я бу́ду мно́го спать!

А в понеде́льник я бу́ду рабо́тать. Я рабо́таю в фи́рме, я ме́неджер. Ка́ждый день (every day) я рабо́таю 8 часо́в, а в пя́тницу я рабо́таю 7 часо́в. Я из шта́та Кенту́кки, но сейча́с я живу́ и рабо́таю во Флори́де, в Деле́нде. Здесь хорошо́ жить — тепло́ и споко́йно (it is warm and peaceful here). Здесь мно́го студе́нтов. Мой друг — студе́нт университе́та Сте́тсон. В суббо́ту и́ли в воскресе́нье мы лю́бим обе́дать в рестора́не в це́нтре го́рода.

КАКО́Й? *(masc.)* КАКА́Я? *(fem.)* КАКО́Е? *(neut.)* КАКИ́Е? *(pl.)*
WHAT? = WHICH?

Adjectives in Russian are said to agree with the nouns they modify. And it will be again the general rule:

— Како́й (э́то) магази́н? (он) — What is this shop? (*masc.*)	— Это но́вый магази́н. — This is a new shop.
— Кака́я (э́то) у́лица? (она́) — street? (*fem.*)	— Это но́вая у́лица. — This is a new street.
— Како́е (э́то) кафе́? (оно́) — café? (*neut.*)	— Это но́вое кафе́. — This is a new cafe.

но́**вый** (**-ая**, **-ое**) ≠ ста́**рый** (**-ая**, **-ое**) [nóvyĭ ≠ stáryĭ] new ≠ old

краси́**вый** (**-ая**, **-ое**) [krasívyĭ] beautiful

больш**о́й** (**-ая**, **-ое**) ≠ ма́ленький (**-ая**, **-ое**) [bal'shóĭ ≠ málen'kiĭ] big (large) ≠ small (little)

интере́сн**ый** (**-ая**, **-ое**) [interésnyĭ] interesting

хоро́ш**ий** (**-ая**, **-ее**) ≠ плох**о́й** (**-ая**, **-ое**) [haróshеĭ ≠ plakhóĭ] good ≠ ≠ bad

Это краси́вый го́род.	This is a beautiful city.
Это краси́вая страна́.	This is a beautiful country.
Это краси́вое зда́ние.	This is a beautiful building.

So, it is important in Russian to hear the question, because its form gives you the right form of ending. For example:

Как**о́й** э́то го́род? — Это больш**о́й**, ста́р**ый**, краси́в**ый** го́род.
Как**а́я** э́то страна́? — Это больш**а́я**, краси́в**ая** страна́.
Как**о́е** э́то метро́? — Это больш**о́е**, ста́р**ое**, краси́в**ое** метро́.

Имени́тельный паде́ж прилага́тельных / Nominative case for adjectives

он
како́й?
-ый, -ий, -ой

но́в**ый** хоро́ш**ий** больш**о́й**	банк

она́
кака́я?
-ая (-яя)

но́в**ая** хоро́ш**ая** больш**а́я**	фи́рма

оно́
како́е?
-ое, -ее

но́в**ое** хоро́ш**ее** больш**о́е**	кафе́

они́
каки́е?
-ые, -ие

но́в**ые** хоро́ш**ие** больш**и́е**	ба́нки фи́рмы кафе́

Скажи́те, пожа́луйста:

1. Кака́я страна́ Росси́я: больша́я и́ли ма́ленькая?
2. Како́й ваш (your) го́род: краси́вый и́ли некраси́вый?
3. Како́й ваш сын?
4. Кака́я ва́ша дочь?
5. Кака́я ва́ша маши́на?
6. Кака́я ва́ша рабо́та: интере́сная и́ли неинтере́сная?
7. Како́й ваш дом?
8. Како́й го́род Москва́?
9. Каки́е больши́е города́ вы зна́ете?
10. Каки́е интере́сные стра́ны вы хоти́те посмотре́ть?

ЧЕЙ? *(masc.)* ЧЬЯ? *(fem.)* ЧЬЁ? *(neut.)* ЧЬИ? *(pl.)* WHOSE?

Like adjectives, possessive pronouns *my*, *your*, *our* ... have different endings to agree with the nouns they modify:

my — your son	мо**й** — тво**й** сын
our — your son (plural or formal)	на**ш** — ва**ш** сын
my — your daughter	мо**я́** — тво**я́** дочь
our — your daughter	на́ш**а** — ва́ш**а** дочь
my — your ring	мо**ё** — тво**ё** кольцо́
our — your ring	на́ш**е** — ва́ш**е** кольцо́
my — your children	мо**и́** — тво**и́** де́ти
our — your children	на́ш**и** — ва́ш**и** де́ти

And never change in Russian words: **его́**, **её**, **их** [yevo, yeyo, eeh] *his*, *her*, *their*:

Его́ сын, дочь, кольцо́, де́ти.	His	son, daughter, ring, children.
Её сын, дочь, кольцо́, де́ти.	Her	
Их сын, дочь, кольцо́, де́ти.	Their	

Пра́ктика

Agree pronouns *мой/твой* with the words by the model.

брат — мой, твой брат...
сестра́ — моя́, твоя́ сестра́...
го́род, телефо́н, сын, страна́, у́лица, дочь, ма́ма, па́па, я́блоко, молоко́

Agree pronouns *наш/ваш* with the words by the model.

дом — наш, ваш дом...
у́лица — на́ша, ва́ша у́лица...
фи́рма, о́фис, компа́ния, банк, фа́брика, ме́сто, парк

Put pronouns in the necessary form:

мой, наш, его, её твой, ваш, его, её, их

1. Это ... брат и ... сестра́, а э́то ... ма́ма и па́па. ... сестра́ — студе́нтка. Это ... компью́тер и телефо́н. ... брат — инжене́р. Это ... фа́брика.

2. Это ... брат? ... сестра́ — студе́нтка? А э́то ... друзья́? ... друзья́ то́же студе́нты?

ИК-5 / Exclamation, emotions!

We use this type of intonation in the constructions with question-words **как**, **како́й** ... etc, but they are not a que-stion:

Како́й краси́вый го́род! — What a beautiful city!
Как хорошо́! — What a pleasure!
Как краси́во! — How nice it is!
Как (э́то) интере́сно! ... etc. — How interesting it is!

Пра́ктика

1. — Кто э́то?	— Who is this?
— Это мой сын.	— This is my son.
— Како́й большо́й и краси́вый ма́льчик!	— What a big and a nice boy!
2. — Кака́я краси́вая де́вочка! Это ва́ша дочь?	— What a nice girl! Is she your daughter?
— Да, э́то моя́ дочь, Ма́ша.	
3. — Чей э́то ма́льчик? Где его́ па́па и ма́ма?	— Whose is this boy? Where are his ...?
— Это наш сын. Мы — его́ па́па и ма́ма. Ма́ленький мой! Не плачь! Мы здесь.	— This is our son. We are his ... My baby! Don't cry! We are here ...

4. — Моя́ хоро́шая де́вочка! Что ты де́лаешь? Чита́ешь и́ли смо́тришь телеви́зор?
— Я смотрю́ телеви́зор — но́вый фильм «Арти́ст».
— Интере́сный?
— Да, о́чень интере́сный и краси́вый фильм!
— А чей э́то фильм? Ру́сский?
— Нет, э́то но́вый францу́зский фильм.

5. — Это ва́ша карти́на?
— Да, э́то моя́ но́вая карти́на.
— Как краси́во! Кака́я хоро́шая карти́на!
— Спаси́бо.

Цвета́ / Colours

чёрный ≠ бе́лый [chiornyĭ ≠ biélyĭ]	black ≠ white
кра́сный [krásnyĭ]	red
си́ний [síneĭ]	blue
жёлтый [zhóltyi]	yellow
зелёный [zeliónyĭ]	green
кори́чневый [haríchnevyĭ]	brown
се́рый [siéryĭ]	grey
ора́нжевый [aránzhyvyĭ]	orange
голубо́й [galubóĭ]	light blue
све́тлый ≠ тёмный [sviétlyĭ ≠ tiómnyĭ]	light ≠ dark

Цветы́ / Flowers

ро́за [róza]	rose
тюльпа́н [t'ulipán]	tulip
нарци́сс [nartsís]	narcisus
сире́нь [sirién']	lilac
рома́шка [ramáshka]	camomile

Пра́ктика

1. Како́й хлеб ты хо́чешь: чёрный и́ли бе́лый?
   Како́е я́блоко вы хоти́те: кра́сное и́ли зелёное?
   Како́е вино́ вы лю́бите: бе́лое и́ли кра́сное?
   Кака́я икра́ хоро́шая: чёрная и́ли кра́сная?
   Како́й апельси́н?
   Како́й океа́н? (ocean)
   Како́й цвет вы лю́бите?
   Каки́е цветы́ вы лю́бите?

2. Это мой сын. — Како́й хоро́ший ма́льчик!
Это моя́ дочь. — Кака́я краси́вая ма́ленькая де́вочка!
Это наш го́род. — О! Како́й краси́вый и зелёный го́род!
Это на́ше францу́зское бе́лое вино́. — Да, я зна́ю, францу́зское вино́ о́чень хоро́шее.

Диало́ги

На уро́ке

— Скажи́те, пожа́луйста, Москва́ ста́рый го́род?
— Да, Москва́ — ста́рый ру́сский го́род. И краси́вый. А ваш го́род?
— Наш го́род Сало́ники о́чень ста́рый. Он ма́ленький, споко́йный, краси́вый и всегда́ (always) зелёный. Вы зна́ете, в Гре́ции нет зимы́, как в Москве́. Здесь всегда́ тепло́, зелёные па́рки и у́лицы. Здесь хорошо́ жить — не хо́лодно, всегда́ фру́кты, о́вощи, цветы́.
— Как интере́сно! Я хочу́ посмотре́ть (to see) ваш го́род.
— Пожа́луйста! Когда́ вы хоти́те?
— Ду́маю, зимо́й. Это хоро́шее вре́мя. В Москве́ хо́лодно, а в Гре́ции тепло́.
— Хоро́шая иде́я! Приезжа́йте! (Come! = Welcome to see us ...)
— До встре́чи. (See you.)

На у́лице Москвы́

— Здра́вствуй, Анна! Как ты живёшь? Как семья́, де́ти, рабо́та?
— Здра́вствуй, Ива́н! Всё хорошо́: я рабо́таю в фи́рме, муж рабо́тает в большо́й компа́нии. А э́то мой сын Са́ша.

— Какóй большóй мáльчик! Здрáвствуй, Сáша!

— Здрáвствуйте. Очень приятно.

— А как ты, Ивáн? Что ты дéлаешь в Москвé? Я знáю, что ты рабóтаешь в Петербýрге.

— Да, я живý и рабóтаю там, в университéте. Но сейчáс в Москвé конферéнция, и я бýду жить здесь 3 дня, а потóм я дóлжен поéхать (I must go) в Амéрику на конферéнцию.

— Какáя интерéсная жизнь!

— Да, прáвда. Ну, мне порá, извинú. В 2 часá я дóлжен быть в университéте. До свидáния! (Yes, that's true. Well, it's time to go, sorry. At two o'clock I must be at the University.)

— Всегó хорóшего, Ивáн! Бýдешь в Москвé — позвонú. (All the best, Ivan! If You will be in Moscow, call me.)

— Хорошó, до встрéчи!

Кóе-чтó вáжное о прилагáтельных и притяжáтельных местоимéниях / Something important about adjectives and possessive pronouns in Russian

As we told you before, it is very important in Russian to pay attention to the question, because question word usually helps you to put the right ending of a word:

Как**óй** э́то дом? — Это больш**óй** дом. Как**áя** э́то квартúра? — Это больш**áя** квартúра.

Че**й** э́то сын? — Это мо**й** сын. Чь**я** э́то дочь? — Это мо**я́** дочь.

And you must know that Russian nouns, pronouns and adjectives have the Case form. There are 6 cases in Russian and you've already met all of them. But now we'll give you some rules how to use endings. Listed below are Nominative, Accusative and Prepositional case endings of nouns, ajectives and possesive pronouns in singular and plural forms.

Имени́тельный паде́ж / Nominative case — dictionary form, subject, title

	Singular			Plural	
	masc.	neut.	fem.	masc., fem.	neut.
Noun *кто?* *что?*	***, -ь, -й** студе́нт секрета́р**ь** музе́**й**	**-о, -е** письм**о́** мо́р**е**	**-а, -я, -ь** студе́нтк**а** шко́л**а** Росси́**я** доч**ь**	**-ы, -и** студе́нт**ы** студе́нтк**и** шко́л**ы** музе́**и**	**-а, -я** пи́сьм**а** мор**я́**
Pronoun *кто?* *что?*	я, ты, он	оно́	я, ты, она́	мы, вы, они́	
Poss. pron.	*че**й**?* мо**й**, тво**й** наш, ваш **его́**	*чь**ё**?* мо**ё**, тво**ё** на́ш**е**, ва́ш**е** **его́**	*чь**я**?* мо**я́**, тво**я́** на́ш**а**, ва́ш**а** **её**	*чь**и**?* мо**и́**, тво**и́** на́ш**и**, ва́ш**и** **их**	
Adjective	*как**ой**?* **-ой**, **-ый**, **-ий** больш**о́й** но́в**ый** хоро́ш**ий**	*как**ое**?* **-ое**, **-ее** больш**о́е** но́в**ое** хоро́ш**ее**	*как**ая**?* **-ая**, **-яя** больш**а́я** но́в**ая** хоро́ш**ая** си́н**яя**	*как**ие**?* **-ые**, **-ие** больш**и́е** но́в**ые** хоро́ш**ие**	

* The last letter is consonant.

Это наш но́вый студе́нт, на́ша но́вая студе́нтка, на́ши но́вые студе́нты.

Это наш большо́й музе́й, на́ше большо́е письмо́, на́ша больша́я Росси́я, на́ши больши́е музе́и, теа́тры ...

Пра́ктика

Мы смо́трим фо́то.

1. — Смотри́те! Это у́лица, где я живу́: вот моя́ ста́рая шко́ла, а э́то наш но́вый кинотеа́тр, вот о́чень хоро́шее ма́ленькое кафе́, а э́то наш дом и на́ша но́вая краси́вая, но о́чень дорога́я маши́на.
   — Да, краси́вое ме́сто. Ваш дом о́чень большо́й. Он ста́рый?
   — Нет, не о́чень.

2. — А э́то кто?
   — Это моя́ семья́: мой оте́ц, моя́ мать, моя́ сестра́, мои́ ба́бушка и де́душка.
   — А э́то ты?
   — Да, я, но ещё ма́ленький. Это ста́рое фо́то.
   — Твоя́ сестра́ о́чень краси́вая, как и ва́ша ма́ма.
   — Спаси́бо.

3. — Кто твоя́ сестра́?
   — Она́ студе́нтка.
   — А оте́ц?
   — Мой оте́ц инжене́р.
   — Твои́ ба́бушка и де́душка рабо́тают?
   — Нет, они́ пенсионе́ры.
   — Ма́ма то́же не рабо́тает?
   — Да, она́ домохозя́йка (housewife). Ма́ма должна́ мно́го рабо́тать до́ма.

Покажи́те, пожа́луйста, ва́ши фо́то. Расскажи́те, *кто э́то, что э́то, где э́то…*

Вини́тельный паде́ж / Accusative case — direct object

Here we give endings for inanimated nouns and forms for personal pronouns

	Singular			Plural
	masc.	neut.	fem.	
Noun *что?*	= Nom. музе́й теа́тр	= Nom. письм**о́** мо́р**е**	**а → у, я → ю** шко́л**у** Росси́**ю**	= Nom. музе́**и** пи́сьм**а** шко́л**ы**
Pronoun *кого́?* *что?*	мен**я́**, теб**я́** его́	его́	её	нас, вас их
Poss. pron.	= Nom. ***чей?*** мо́**й**, тво́**й** наш, ваш его́	= Nom. ***чьё?*** мо**ё**, тво**ё** на́ш**е**, ва́ш**е** его́	***чью?*** мо**ю́**, тво**ю́** на́ш**у**, ва́ш**у** её	= Nom. ***чьи?*** мо**и́**, тво**и́** на́ш**и**, ва́ш**и** их
Adjective	= Nom. *как**о́й**?* **-ой**, **-ый**, **-ий** больш**о́й** но́в**ый** хоро́ш**ий**	= Nom. *как**о́е**?* **-ое**, **-ее** больш**о́е** но́в**ое** хоро́ш**ее**	*как**у́ю**?* **-ую**, **-юю** больш**у́ю** но́в**ую** хоро́ш**ую** си́н**юю**	= Nom. *как**и́е**?* **-ые**, **-ие** больш**и́е** но́в**ые** хоро́ш**ие**

Я люблю́ наш Больш**о́й** теа́тр, на́ш**е** Чёрн**ое** мо́р**е**, на́ш**у** больш**у́ю**, краси́в**ую** стран**у́** — Росс**и́ю**.

Я хорошо́ зна́ю на́ш**и** моско́вск**ие** муз**е́и**, теа́тр**ы**.

Read. Answer the questions.

1. — Я люблю́ смотре́ть америка́нские фи́льмы. А вы?
   — Я не о́чень люблю́ америка́нское кино́. Я люблю́ италья́нское кино́.
2. — Вы хорошо́ зна́ете Москву́?
   — Ду́маю, я хорошо́ зна́ю ста́рую Москву́ — Кремль, Кра́сную пло́щадь (Kremlin, the Red Square), центра́льные у́лицы, а но́вую Москву́ я зна́ю пло́хо.
3. — Как вас зову́т?
   — Меня́ зову́т Анна. А э́то мой брат. Его́ зову́т Ви́ктор.
4. — Это ва́ша сестра́?
   — Да.
   — Как её зову́т?
   — Её зову́т Ни́на.
5. — Вы лю́бите ру́сскую ку́хню (Russian food)?
   — Не о́чень. Я из Ита́лии и, коне́чно, люблю́ на́шу италья́нскую ку́хню, на́ше италья́нское вино́ и на́ши италья́нские фру́кты и о́вощи.
6. — Я люблю́ ру́сскую му́зыку. А вы?
   — ...
7. Како́й цвет вы лю́бите?
8. Како́е ме́сто в Москве́ вы хорошо́ зна́ете?
9. Каки́е газе́ты и журна́лы вы чита́ете?
10. Каки́е города́ в Росси́и вы хоти́те посмотре́ть?

Предло́жный паде́ж (*Где?*) / Prepositional case — location (*Where?*)

	Singular			Plural
	masc.	neut.	fem.	
Noun *где?*	**-е**, **-и** (в) музе́**е** (в) санато́ри**и**	**-е**, **-и** (в) мо́р**е** (в) зда́ни**и**	**-е**, **-и** (в) шко́л**е** (в) Росси́**и**	**-ах**, **-ях** (в) шко́л**ах** (в) музе́**ях**
Pronoun	(в) нём	(в) нём	(в) ней	(в) них
Poss. pron.	(в, на) *чь**ём**?* (в) мо**ём**, (в) тво**ём** (в) на́ш**ем**, (в) ва́ш**ем** (в) его́		(в, на) *чь**ей**?* (в) мо**е́й**, (в) тво**е́й** (в) на́ш**ей**, (в) ва́ш**ей** (в) её	(в, на) *чь**их**?* (в) мо**и́х**, (в) тво**и́х** (в) на́ш**их**, (в) ва́ш**их** (в) их
Adjective	(в, на) *как**о́м**?* (в) больш**о́м** (в) но́в**ом** (в) хоро́ш**ем**		(в, на) *как**о́й**?* (в) больш**о́й** (в) но́в**ой** (в) хоро́ш**ей**	(в, на) *как**и́х**?* (в) больш**и́х** (в) но́в**ых** (в) хоро́ш**их**

Я был в на́ш**ем** но́в**ом** музе́**е**, в на́ш**ем** но́в**ом** зда́н**ии**, в на́ш**ей** но́в**ой** шко́л**е**, в на́ш**их** но́в**ых** музе́**ях**.

Диало́ги

1. — Вы бы́ли в Большо́м теа́тре?
   — Нет, ещё не был. Но я был на Кра́сной пло́щади и в Кремле́.
2. — Вчера́ мы бы́ли в интере́сном музе́е.
   — В како́м? В Истори́ческом?
   — Нет, в Третьяко́вской галере́е.

3. — Вы работаете на фабрике?
— Да, я работаю на фабрике. А вы?
— Я работаю в самом большом российском университете — МГУ. Вы были там?
— Нет ещё.

4. — Где вы были в субботу утром?
— Я была дома, а дети — в школе, на интересном концерте.

У МЕНЯ́ ЕСТЬ...
I HAVE

У меня́ есть [u mienia yést'] ма́ма.
У меня́ есть па́па. **У меня́ есть** брат и сестра́. **У меня́ есть** семья́.
У меня́ есть маши́на. **У меня́ есть** дом. **У меня́ есть** де́ньги.

Это **я**. **У меня́** есть... .	That's me. I have... .
Это **ты**. **У тебя́** есть... де́ньги.	That's you. You have... money.
Это **он**. **У него́** есть... .	That's him. He has... .
Это **она́**. **У неё** есть... де́ньги.	That's her. She has... money.
Это **мы**. **У нас** есть... .	That's us. We have... .
Это **вы**. **У вас** есть... де́ньги.	That's you. You have... money.
Это **они́**. **У них** есть	That's them. They have... .
Это Анна и Анто́н. У Анн**ы** и Анто́н**а** есть... де́ньги.	...Anna has... Anton has...

У ВАС ЕСТЬ..?
DO YOU HAVE..?

— **У вас есть** [u vas yest'] маши́на?
— Да, есть. (Да, у меня́ есть маши́на.)

— У вас есть маши́на?
— Нет.

Диало́ги

1. — У вас есть де́ти?
— Да, есть сын и дочь. А у вас?
— У меня́ есть сын.

2. — У вас есть маши́на?
— Да, у меня́ есть маши́на. А у вас?
— Нет.

3. — Это ваш брат?
— Да.
— У него́ есть компью́тер?
— Да, у него́ есть но́вый компью́тер.

4. — Это ва́ша сестра?
— Нет, э́то моя́ подру́га.
— А у вас есть сестра́ и́ли брат?
— Нет, я то́лько одна́ дочь в семье́.

Скажи́те, пожа́луйста:

1. У вас е́сть семья́? — Do you have a family?
2. У вас е́сть де́ти? — Do you have children?
3. У вас е́сть дом и маши́на?
4. У вас е́сть рабо́та? — Do you have a job?
5. У вас е́сть свобо́дное вре́мя? — Do you have a free time?

У МЕНЯ́ НЕТ...
I HAVE NO...

У меня́ ***нет***	бра́т**а** сестр**ы́**	[u meniá net	bráta siestrý]	I have no...	brother sister
У меня́ ***нет***	сы́ра мя́са ры́бы			I have no	cheese (*masc.*) meat (*neut.*) fish (*fem.*)

As you learned it before, using construction *I have... you have... he has...* etc. in Russian we put Subject (I, you, any name or noun) in Genitive case with preposition **у**:

У меня́ есть сыр, мя́со, ры́ба.

When we want to say *I have no...*, after word **нет** we put the object also in Genitive case (ending **-а**, **-я** *masc.*, *neut.* and **-ы**, **-и** *fem.*):

У меня́ нет сы́ра, мя́са, ры́бы.

Роди́тельный паде́ж (ед. ч.) / Genitive case (Singular)

Genitive case (Singular) — нет **кого́?** **чего́?** *отку́да?*

	Singular			Plural
	masc.	neut.	fem.	
Noun *кого́?* *чего́?* *откуда?*	**-а, -я** студе́нт**а** музе́**я** из теа́тр**а**	**-а, -я** письм**а́** мо́р**я** из окн**а́**	**-ы, -и** студе́нтк**и** газе́т**ы** из Москв**ы́**	
Pronoun *кого́?* *чего́?*	 мен**я́**, теб**я́** его́	 его́	 мен**я́**, теб**я́** её	 нас, вас их
Poss. pron.	*чь**его́**?* мо**его́**, тво**его́** на́ш**его**, ва́ш**его** его́		*чь**ей**?* мо**е́й**, тво**е́й** на́ш**ей**, ва́ш**ей** её	*чь**их**?* мо**и́х**, тво**и́х** на́ш**их**, ва́ш**их** их
Adjective	*како́го?* **-ого, -его** больш**о́го** но́в**ого** хоро́ш**его**		*како́й?* **-ой, -ей** больш**о́й** но́в**ой** хоро́ш**ей**	*каки́х?* **-ых, -их** больш**и́х** но́в**ых** хоро́ш**их**

У мен**я́** **нет** но́в**ого** журна́л**а**, но́в**ой** газе́т**ы**.

Сего́дня в кла́ссе **нет** на́ш**его** но́в**ого** студе́нт**а** и на́ш**ей** но́в**ой** студе́нтк**и**.

У мо**его́** дру́г**а** **нет** но́в**ого** компью́тер**а**, но́в**ой** маши́н**ы**.

Диало́ги

1. — Скажи́те, пожа́луйста, отку́да вы?
— Я из Аме́рики, из шта́та Мичига́н. А вы?
— Я из Росси́и, из Петербу́рга.

2. — У вас е́сть брат?
— Нет, у меня́ нет бра́та, у меня́ есть сестра́. А у вас?
— У меня́ есть два бра́та, но нет сестры́.

3. — У тебя́ е́сть маши́на?
— Нет, у меня́ нет маши́ны, но у моего́ бра́та есть.

Memorize

У меня́ **нет вре́мени**. [u mieniá net vrémeni]	I have no time.
У меня́ **нет де́нег**. [u mieniá net d'énik]	I have no money.

Пра́ктика

У меня́ нет бра́та. У меня́ нет сестры́. У тебя́ нет де́душки. У тебя́ нет ба́бушки. У него́ нет компью́тера. У него́ нет маши́ны. У неё нет телефо́на. У неё нет рабо́ты. У нас нет вре́мени. У нас нет де́нег. У вас нет докуме́нта. У вас нет ви́зы. У них нет сы́на. У них нет до́чери. У студе́нта нет словаря́ (dictionary). У студе́нтки нет газе́ты. У сы́на нет компью́тера. У до́чери нет па́спорта.

Чита́йте.

Есть брат — нет бра́та, есть сестра́ — нет сестры́, есть ба́бушка — нет ба́бушки, есть де́душка — нет де́душки, есть друг — нет дру́га, есть подру́га — нет подру́ги, есть муж — нет му́жа, есть жена́ — нет жены́, есть сын — нет сы́на, есть дочь — нет до́чери.

Есть рабо́та — нет рабо́ты, есть маши́на — нет маши́ны, есть телефо́н — нет телефо́на, есть компью́тер — нет компью́тера, есть де́ньги — нет де́нег.

Посмотри́те ещё раз слова́ и скажи́те: кто и́ли что у вас есть? Кого́ и́ли чего́ у вас нет?

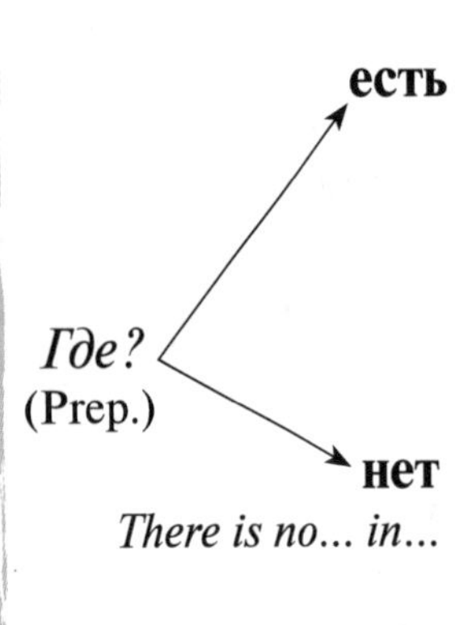

кто? что?
(Nom.)

В университе́те есть европе́йские студе́нты.
В Москве́ есть краси́вое метро́.

кого́? чего́?
(Gen.)

В Африк**е** нет сне́г**а** (snow).
На у́лиц**е** нет маши́н**ы**.

Скажи́те, пожа́луйста:

1. У вас есть ста́рший и́ли мла́дший (elder or younger) брат?
2. У вас есть ста́ршая сестра́?
3. В Москве́ есть метро́?
4. В Африке есть снег?
5. В Аме́рике есть ру́сские маши́ны?

6. В Росси́и е́сть америка́нские маши́ны? А италья́нские?
7. Здесь е́сть телефо́н?
8. У вас в Аме́рике е́сть ру́сские рестора́ны?
9. В Евро́пе е́сть коре́йские и италья́нские маши́ны?

есть *кто? что?* + Nom.	**нет** *кого́? чего́?* + Gen.
брат	бра́т**а**
телефо́н	телефо́н**а**
музе́й	музе́**я**
молоко́	молок**а́**
мо́ре	мо́р**я**
сестра́	сестр**ы́**
рабо́та	рабо́т**ы**
кни́га	кни́г**и**

Very useful words

У меня́ нет вре́мени. — I have no time.
[u meniá net vrémeni]

У вас е́сть сда́ча? — Do you have change?
[u vas yest' zdácha]

У меня́ нет ме́лочи. — I have no coins (change).
[u meniá net miélachi]

Где здесь туале́т? — Where is the rest room?
[gdie zdes' tualiét]

Где здесь ста́нция метро́? — Where is the metro station?
[gdie zdes' stánceya metró]

Здесь е́сть телефо́н (рестора́н)? — Is there a telephone (restaurant etc.) over here?
[zdies' yest' telefón (restarán)]

Диало́ги

В рестора́не

— Я хочу́ воды́. У вас есть холо́дная вода́? (I want some water. Do You have the cold water?)

— Нет, воды́ у нас нет. Хоти́те сок (juice) и́ли ко́ка-ко́лу?

— Пожа́луйста, сок. У вас есть апельси́новый?

— Да. Что ещё?

— Сала́т и немно́го мя́са. А пото́м чай.

— Хорошо́, мину́точку.

На у́лице

— Извини́те, где здесь телефо́н?

— Здесь нет телефо́на, он то́лько на ста́нции метро́.

— А где метро́?

— Там. Ви́дите бу́кву «М»? (Do you see the letter «М»?) Это метро́.

— Там? Кра́сная?

— Да.

— Спаси́бо. А на ста́нции метро́ есть туале́т?

— Нет, в метро́ нет туале́та. И здесь на у́лице то́же нет. Вы должны́ пойти́ в кафе́ и́ли рестора́н — там есть туале́т. Туале́ты в Москве́ — больша́я пробле́ма!

— Да, зна́ю. Спаси́бо ещё раз! (Thanks again!) До свида́ния!

— До свида́ния! Всего́ хоро́шего!

В магази́не

— У вас ↗е́сть план Москвы́ и метро́?
— Вот, пожа́луйста, план Москвы́, и там есть план метро́. В↗и́дите?
— Это хорошо́, я возьму́. Но я хочу́ ма́ленький план метро́. У вас он ↗е́сть?
— К сожале́нию, [ksazhyliéneyu] нет. (Unfortunately, no.) Я ду́маю, вы мо́жете купи́ть план метро́ в кио́ске.
— Хорошо́, спаси́бо. Ско́лько сто́ит план Москвы́?
— 70 рубле́й 50 копе́ек.
— Вот 100 рубле́й. У меня́ нет ме́лочи...
— Ничего́. Вот сда́ча — 29 рубле́й 50 копе́ек.
— Спаси́бо.

МО́ЖНО ≠ НЕЛЬЗЯ́ + INFINITIVE
IT IS POSSIBLE ≠ IT IS FORBIDDEN (NOT ALLOWED)

Здесь м↗о́жно кури́ть? [zdes' mózhna kurit']	Can I smoke here?
Здесь нельзя́ кури́ть. [zdes' nel'ziá kurit']	It`s not allowed to smoke here.
Где мо́жно купи́ть..? [gdie mózhna kupit']	Where can I buy..?
Где мо́жно посмотре́ть..? [gdie mózhna pasmatriet']	Where can I see..?

Диало́ги

1. — Скажи́те, пожа́луйста, где мо́жно купи́ть ру́сско-англи́йский слова́рь?
   — Ви́дите, там магази́н? Я ду́маю, там есть. (Do you see the shop over there? I think, they have it...)
   — Вы не зна́ете, там мо́жно купи́ть план Москвы́?
   — Коне́чно, мо́жно. Это хоро́ший большо́й магази́н, и там мо́жно купи́ть мно́го книг и сувени́ров.
   — Спаси́бо.
   — Пожа́луйста.

2. — Извини́те, здесь мо́жно кури́ть?
   — Нет, в метро́ и в тра́нспорте нельзя́ кури́ть.
   — А где ещё нельзя́ кури́ть?
   — В теа́тре, в музе́е, в магази́не... и там, где есть ма́ленькие де́ти.
   — Да-да, я понима́ю.

3. — Сейча́с по телеви́зору идёт о́чень интере́сный фильм. Мо́жно посмотре́ть?
   — Нет, нельзя́. Сейча́с уро́к, а пото́м мо́жно смотре́ть фильм, слу́шать му́зыку, чита́ть... — де́лать всё, что хо́чешь.

4. — Ма́ма, мо́жно взять шокола́д?
   — Нельзя́, до́ченька (my litlle daughter). Сейча́с мы должны́ обе́дать.

5. — У меня́ нет ру́чки. Мо́жно вашу? (I have no pen. May I take your?)
   — Пожа́луйста.

6. — У нас в Москве́ есть Большо́й теа́тр. Там мо́жно посмотре́ть прекра́сный бале́т, послу́шать о́перу.
   — А где мо́жно купи́ть биле́т?
   — В теа́тре, но мо́жно заказа́ть биле́ты по Интерне́ту.

Скажи́те, пожа́луйста:

1. До́ма мо́жно кури́ть?
2. В кла́ссе мо́жно кури́ть?
3. Где мо́жно кури́ть?
4. Где нельзя́ кури́ть?
5. Где мо́жно посмотре́ть но́вый фильм?
6. В Аме́рике мо́жно купи́ть ру́сскую маши́ну?
7. В Росси́и мо́жно купи́ть америка́нскую маши́ну?
8. Где мо́жно хорошо́ пообе́дать?
9. Где мо́жно купи́ть сувени́ры?
10. Когда́ мо́жно слу́шать му́зыку?
11. Когда́ мо́жно смотре́ть телеви́зор?
12. В маши́не мо́жно слу́шать ра́дио? А смотре́ть ви́део?
13. В о́фисе мо́жно слу́шать му́зыку?
14. Что нельзя́ де́лать на рабо́те?

Текст

У меня́ есть дочь. Её зову́т На́стя. На́стя — ма́ленькая симпати́чная де́вочка. Она́ ещё (still) пло́хо говори́т, но всё понима́ет. Но она́ не лю́бит сло́во «нельзя́» и не хо́чет понима́ть его́. Я говорю́: «Нельзя́ есть мно́го шокола́да». На́стя не понима́ет и говори́т: «Мо́жно». Де́душка говори́т: «Нельзя́ смотре́ть телеви́зор, ты должна́ спать». А На́стя говори́т: «Мо́жно! Я хочу́»...

Скажи́те, пожа́луйста, что де́лать?

Что говори́ли ва́ши роди́тели, когда́ вы бы́ли ма́ленькими?

Что мо́жно?

Что нельзя́?

Что вы должны́ бы́ли де́лать?

ОБЗО́РНАЯ СТРАНИ́ЦА

By now you know the following Russian questions and answers:

1. What = which? And the ending of the question-word and ajectives depends on gender of nouns:

   Како́й дом? — больш**о́й**. **Кака́я** маши́на? — больш**а́я**. **Како́е** кафе́? — больш**о́е**.

2. Whose?

   Чей э́то дом? — Мо**й**. **Чья** маши́на? — Мо**я́**. **Чьё** кольцо́? — Мо**ё**.

3. Do you have...(a car)? — Yes, I have...(a car) — No, I have no...(car)

   — **У вас есть** маши́на?

   — Да, есть. (Да, у меня́ есть маши́на.)

   — Нет. (Нет, у меня́ нет маши́ны.)

4. Is there... in..? — Is there snow in Florida?

   В Африке есть снег?

5. It is possible ≠ It is forbidden + inf.

   Мо́жно ≠ нельзя́ + **что де́лать?**

   May I have a look? — **Мо́жно посмотре́ть?**

   It is forbidden to smoke here! — Здесь **нельзя́** кури́ть!

Пра́ктика

You want to ask some questions... Try to translate them into Russian:

1. What is the city — Moscow?
2. Is there a subway in Moscow? And in St.-Petersburg?
3. What is this street?
4. Whose is this boy?
5. Whose is this girl?
6. Do you have children?
7. Is it possible to watch TV here?
8. Do you have a map of Moscow?

Choose the right answer and put it after questions from group a):

1. Это на́ша де́вочка.
2. Да, здесь мо́жно смотре́ть телеви́зор.
3. Москва́ — большо́й ста́рый и краси́вый го́род.
4. Это мой ма́льчик. Это мой сын.
5. Нет.
6. Да, в Москве́ и Петербу́рге есть метро́.
7. Да, есть. Пожа́луйста.
8. Это у́лица Арба́т.

Answer the questions of Russian people. Try to compose the dialogue.

Как вас зову́т? Кто вы? Отку́да вы?
Где вы живёте и рабо́таете?
Како́й ваш го́род? Кака́я ва́ша страна́?
У вас ↗есть роди́тели (ма́ма и па́па)?
У вас ↗есть ста́рший (elder) и́ли мла́дший (younger) брат?
У вас ↗есть ста́ршая и́ли мла́дшая сестра́?
У вас ↗есть де́ти?
У вас ↗есть дом, рабо́та?
Вы обе́даете ↗до́ма и́ли в рестора́не?
Вы ↗лю́бите обе́дать в рестора́не?
Когда́ вы обе́даете и́ли у́жинаете в рестора́не?
Когда́ вы смо́трите телеви́зор?
Вы ↗лю́бите слу́шать класси́ческую му́зыку?
Что вы де́лаете в воскресе́нье?
Вы хот↗и́те знать ру́сский язы́к (Russian language)?
Что вы хоти́те посмотре́ть в Росси́и?
Каки́е сувени́ры вы хоти́те купи́ть в Росси́и?

ОБЗО́РНАЯ СТРАНИ́ЦА

Текст

Я не говорю́ по-ру́сски хорошо́. Что де́лать? Я до́лжен мно́го говори́ть и мно́го слу́шать, как говоря́т ру́сские.

А они́ говоря́т о́чень бы́стро (fast), сли́шком бы́стро! И я не понима́ю.

Тогда́ (then) я говорю́: «Извини́те, я не понима́ю! Ме́дленно, пожа́луйста!» (Slow down)

Они́ говоря́т ме́дленно, но я опя́ть (again) не понима́ю! И я говорю́: «Ещё раз, пожа́луйста!» (again or once more) Они́ говоря́т ещё раз, и я чуть-чуть (= немно́го) понима́ю.

Хорошо́, когда́ ты мо́жешь понима́ть и говори́ть по-ру́сски!

А вы хорошо́ говори́те по-ру́сски? Вы всё понима́ете? Что вы говори́те, когда́ не понима́ете? Что вы говори́те, когда́ ру́сские говоря́т сли́шком бы́стро?

СКО́ЛЬКО ВАМ ЛЕТ?
HOW OLD ARE YOU?

— **Ско́лько вам лет?** [skól’ka vam let] — How old are you?
— **Мне 20 лет.** [mnie dvátsat’ let] — I am 20 years old.
1 год, 2–4 года, 5–20 лет.

As you see in the frame We translate into Russian subject *You* and *I* as: *You* — **вам** and *I* — **мне**. So, in this construction we use Dative case.

Да́тельный паде́ж / Dative case — Address of the Action

	Singular			Plural
	masc.	neut.	fem.	
Noun *кому́?* *чему́?*	**-у**, **-ю** студе́нт**у** секретар**ю́** журна́л**у**	**-у**, **-ю** окн**у́** мо́р**ю**	**-е**, **-и** студе́нтк**е** газе́т**е** до́чер**и**	**-ам**, **-ям** студе́нт**ам** секретар**я́м** о́кн**ам** дочер**я́м**
Pronoun *кому́?* *чему́?*	мн**е**, теб**е́** ем**у́**	ем**у́**	мн**е**, теб**е́** ей	нам, вам им
Poss. pron.	*чь**ему́**?* мо**ему́**, тво**ему́** на́ш**ему**, ва́ш**ему** его́		*чь**ей**?* мо**е́й**, тво**е́й** на́ш**ей**, ва́ш**ей** её	*чь**им**?* мо**и́м**, тво**и́м** на́ш**им**, ва́ш**им** их
Adjective	*как**о́му**?* **-ому**, **-ему** больш**о́му** но́в**ому** хоро́ш**ему**		*как**о́й**?* **-ой**, **-ей** больш**о́й** но́в**ой** хоро́ш**ей**	*как**и́м**?* **-ым**, **-им** больш**и́м** но́в**ым** хоро́ш**им**

На́ш**ему** но́в**ому** студе́нт**у** 20 лет, а на́ш**ей** но́в**ой** студе́нтк**е** 18 лет.

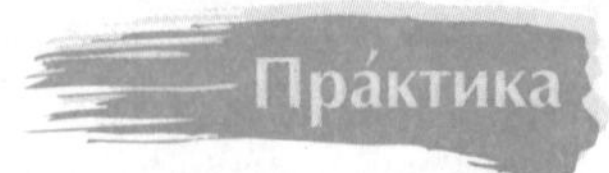

Пра́ктика

Скажи́те, пожа́луйста:

1. Ско́лько вам лет?
2. Ско́лько лет ва́шему па́пе?
3. Ско́лько лет ва́шей ма́ме?
4. Ско́лько лет ва́шему мла́дшему и́ли ста́ршему бра́ту?
5. Ско́лько лет ва́шей мла́дшей и́ли ста́ршей сестре́?
6. Ско́лько лет ва́шему сы́ну?
7. Ско́лько лет ва́шей до́чери?
8. Ско́лько лет ва́шему му́жу?
9. Ско́лько лет ва́шей жене́?
10. Ско́лько лет ва́шим ба́бушке и де́душке?

Memorize

We also use Dative case in the following situations:

a)
1. Помоги́(те) **мне**... — Help **me**...
2. Да́йте **мне**... — Give **me**...
3. Скажи́те **мне**... — Tell **me**...
4. Не меша́йте **мне**! — Don`t disturb **me**!

b)
1. **Мне** хо́лодно. — **I** am cold.
2. **Мне** жа́рко. — **I** am hot.
3. **Мне** пло́хо. — **I** feel bad.

And if we want to ask a question *Are you all right?*, in Russian it sounds like *Are you bad?* = **Вам пло́хо?**

c)
1. **Мне** ну́жно идти́... — **I** need to go...
2. **Мне** ну́жно купи́ть (сувени́ры). — **I** need to buy... (souvenirs).
3. **Мне** нельзя́... (кури́ть). — **I** am not allowed... (to smoke).
4. **Мне** мо́жно войти́? — May **I** come in?

d) Мне **ну́жно** (на́до) идти́. — I need to go... (+ inf.)
Мне **ну́жен** компью́тер. — a computer (masc.).
Мне **нужна́** програ́мма. — a program (fem.).
Мне **ну́жно** такси́. — a taxi (neut.).
Мне **нужны́** де́ньги. — money (pl.).

e) **Мне** нра́вится [mnie nráveetsa] читáть. / ру́сская му́зыка. — **I** like to read (+ inf.). / Russian music (+ noun in Nom. case).

Диало́ги

1. — Не меша́йте мне, пожа́луйста, смотре́ть телеви́зор. Там о́чень интере́сный фильм!
— Извини́те. Я не знал, что вам нра́вится америка́нское кино́.

2. — Мне хо́лодно. Мо́жно взять ваш сви́тер?
— Вот, пожа́луйста. Сейча́с тепло́? (warm)
— Да, сейча́с мне о́чень хорошо́, тепло́. И мне нра́вится ваш сви́тер. Где вы его́ купи́ли?
— В Москве́. Я ду́маю, вам то́же ну́жно купи́ть сви́тер: сейча́с здесь хо́лодно.
— Да, коне́чно. Помоги́те мне за́втра купи́ть сви́тер и сувени́ры ма́ме, па́пе, бра́ту.
— С удово́льствием! [sudavól'stviyem] (with plesure!) Я зна́ю хоро́шие магази́ны в це́нтре Мо̀сквы́. За́втра у́тром, часо́в в 9 и́ли 10 мо́жно э́то сде́лать.
— Хорошо́. Мо́жно в 9 и́ли в 8.30? У меня́ бу́дет уро́к в 10 часо́в.
— Да, коне́чно. Как вы хоти́те... (Yes, of course. As you like...)

— Спаси́бо, большо́е! За́втра в 8.30 на ста́нции метро́ «Театра́льная».

— До свида́ния!

— До за́втра!

3. — Тебе́ нра́вится рок-му́зыка?

— Да, ничего́. Мне нра́вится рок-му́зыка, но я люблю́ джаз.

4. — Та́ня, за́втра суббо́та. Каки́е у тебя́ пла́ны?

— Ну́жно купи́ть проду́кты в магази́не, а пото́м мо́жно пообе́дать в кафе́ и́ли посмотре́ть но́вый фильм в киноце́нтре.

— Неплоха́я програ́мма. Хо́чешь, я помогу́ тебе́ (I'll help you) купи́ть проду́кты, а пото́м вме́сте пообе́даем?

— Хорошо́ Анто́н. Позвони́ мне часо́в в 9.

— До за́втра.

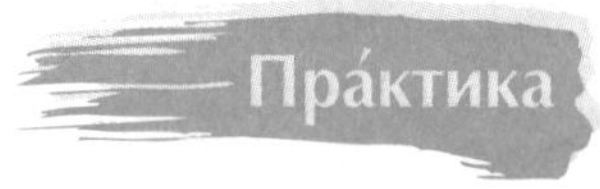

Пра́ктика

Скажи́те, пожа́луйста:

1. Вам хо́лодно в Москве́?
2. Вам интере́сно жить и рабо́тать в Росси́и?
3. Вам нра́вится смотре́ть ру́сские фи́льмы, чита́ть ру́сские кни́ги?
4. Что вам нра́вится в Росси́и?
5. Что вам не нра́вится в Москве́?
6. Кака́я ку́хня (what food) вам нра́вится: италья́нская, япо́нская, кита́йская и́ли ру́сская?
7. Что вам ну́жно купи́ть в магази́не?
8. Что вам на́до де́лать в суббо́ту?
9. Вам ну́жен компью́тер до́ма?
10. Сего́дня вам нужна́ маши́на?

МЕ́СЯЦЫ
MONTHS

1 год — э́то 12 ме́сяцев		**Когда́?** (Prepositional case)	
янва́рь	[yenvár’]	**в январе́**	[vyenvarié]
февра́ль	[f’evrál’]	**в феврале́**	[ffevralié]
март	[mart]	**в ма́рте**	[vmárti]
апре́ль	[apr’él’]	**в апре́ле**	[vapriéli]
май	[may]	**в ма́е**	[vmáye]
ию́нь	[iyún’]	**в ию́не**	[veyúni]
ию́ль	[iyul’]	**в ию́ле**	[veyúl’i]
а́вгуст	[ávgust]	**в а́вгусте**	[vávgusti]
сентя́брь	[s’entiábyr’]	**в сентябре́**	[vsentebrié]
октя́брь	[aktiábyr’]	**в октябре́**	[vaktebrié]
ноя́брь	[nayábyr’]	**в ноябре́**	[vnayebrié]
дека́брь	[d’ekábyr’]	**в декабре́**	[vdiekabrié]

Сейча́с март. В апре́ле мой день рожде́ния.

Како́й сейча́с ме́сяц? — Ию́нь. А когда́ бу́дет экза́мен? — В ию́не.

Скажи́те, пожа́луйста:

1. Когда́ ваш день рожде́ния? [dien’ razhdéniya] (birthday)
2. Когда́ у ва́шего дру́га день рожде́ния?
3. Когда́ в Москве́ хо́лодно?
4. Когда́ Но́вый год?
5. В ва́шей стране́ в январе́ хо́лодно?
6. В ма́е тепло́?
7. В Росси́и в декабре́ есть снег? (snow)

Диало́ги

1. — Когда́ у вас экза́мен?
   — В ию́не.
   — А что пото́м?
   — Пото́м у нас бу́дет пра́ктика. А в а́вгусте я хочу́ пое́хать в Англию на ку́рсы англи́йского языка́.

2. — Анна, в январе́ в Москве́ хо́лодно?
   — Да. У нас о́чень хо́лодно в январе́.

3. — Ви́ктор, скажи́, пожа́луйста, каки́е **сезо́ны** есть в Росси́и.
   — У нас 4 (четы́ре) сезо́на: дека́брь, янва́рь и февра́ль — э́то **зима́**; март, апре́ль, май — э́то **весна́**; ию́нь, ию́ль, а́вгуст — э́то **ле́то**; сентя́брь, октя́брь, ноя́брь — э́то **о́сень**.

Скажи́те, пожа́луйста:

1. Зима́ в Росси́и холо́дная и́ли тёплая?
2. Вам нра́вится ру́сская зима́?
3. Кака́я зима́ в ва́шей стране́?
4. В Москве́ хо́лодно в ноябре́, декабре́, январе́, феврале́, ма́рте. А как у вас?
5. Каки́е сезо́ны есть в ва́шей стране́?
6. Како́й сезо́н вы лю́бите?
7. Когда́ вы лю́бите отдыха́ть (to rest, to be on vacation) — в ма́е и́ли в а́вгусте?

Императи́в / Imperative Form

You already know that we can use in Russian the following Imperative constructions: **Да́йте мне, пожа́луйста…**, **Скажи́те (мне), пожа́луйста…** *Give me please…*, *Tell me please…*

So, in Russian we use Imperative in two forms — singular and plural. And we do the next:

1. Put the verb in the second person position:
   Ты чита́ешь, рабо́таешь, слу́шаешь...
   Ты говори́шь, живёшь, ку́пишь, смо́тришь...
2. As You see, the ending of the second person may be after vowel: **рабо́таешь** or after consonant: **смо́тришь**...
3. For Imperative form instead of endings of the second person conjugation we add:

чита + **й** (sing.) + **йте** (pl.)	говор + **и** (sing.) + **ите** (pl.)
слуша + **й** + **йте** after vowel	жив + **и** + **ите** after consonant

Compare:

Ма́ма, смо́три, кака́я краси́вая маши́на!
Де́ти, смотри́те, кака́я краси́вая маши́на!
Скажи́те, пожа́луйста, ско́лько вре́мени? (formal)
Ма́льчик, скажи́, пожа́луйста, ско́лько вре́мени?

Диало́ги

1. — Ма́ма, **купи́** мне моро́женое!
   — Нет, до́ченька, сейча́с хо́лодно.
2. — Де́ти, **купи́те** сего́дня хлеб!
   — У нас нет вре́мени, ма́ма. **Купи́** сама́.

3. — Па́па, **дай** мне де́ньги на кино́.
   — Хорошо́. Вот тебе́ 1000 рубле́й.
4. — **Да́йте**, пожа́луйста, ваш телефо́н.
   — Пожа́луйста, **пиши́те**: 123-56-78.

5. — Де́душка, **смотри́**, там парк. Пойдём в парк!
   — Хорошо́. Но снача́ла **сде́лай** уро́ки.
6. — **Посмотри́те**, как здесь краси́во!
   — Да, здесь мо́жно хорошо́ отдохну́ть.

7. — Здра́вствуйте, как я рад(а), что вы пришли́! **Проходи́те, сади́тесь, посмотри́те** но́вые газе́ты и журна́лы, а я пригото́влю что-нибудь попи́ть. Что вы хоти́те?
   — Мне, пожа́луйста, чай и немно́го са́хара. (Hello, I am glad, that you came! Come in, have a seat, look newspapers and magazins, and I'll cook some drinks...)

   — Вот чай, са́хар, шокола́д, хлеб, джем. Вот фру́кты. Прия́тного аппети́та! (Good appetite!)
   — Спаси́бо. Я сейча́с мно́го рабо́таю и ещё пло́хо зна́ю ваш го́род. **Помоги́те** мне, пожа́луйста, посмотре́ть интере́сные места́ (interesting places) в Москве́, купи́ть биле́ты в теа́тр.
   — Коне́чно! Да́йте мне ваш телефо́н, я позвоню́ вам.

Проше́дшее вре́мя / Past Tense

The form of the Russian verb in the Past Tense depends on the gender of the subject and exists in the singular and the plural form.

Verbs in the Past Tense are formed by adding suffix **-л-** instead of the ending **-ть** in the infinitive form plus the ending of gender:

	он	она́	оно́	они́
знать → зна + **л**	знал	зна́**ла**	зна́**ло**	зна́**ли**
жить → жи + **л**	жил	жи**ла́**	жи́**ло**	жи́**ли**

Attention, please:

1. Some Russian verbs have irregular form of the Past Tense. Here we give you only three of them:

Он **мог**, она́ **могла́**, они́ **могли́**. — He, she, they **could**.
Он **шёл**, она́ **шла**, они́ **шли**. — He (she, it, they) **was going**.
Он у́**мер**, она́ **умерла́**, они́ **у́мерли**. — He (she, it, they) **died**.

2. The construction *I had...* (*a brother, sister...*) we translate into Russian with the verb **быть**, using it in the Past Tense:

У меня́ был брат. У меня́ была́ сестра́.

3. The construction *I had no...* (*brother, sister...*) we translate into Russian with the verb **не́ было**:

У меня́ не́ было бра́та. У меня́ не́ было сестры́.

4. Such constructions as *I was twenty years old...* or *I was cold...* etc. we translate into Russian with the verb **бы́ло**:

Мне **бы́ло** два́дцать лет. Мне **бы́ло** хо́лодно.

Чита́йте.

Сего́дня Анто́н рабо́тает, и вчера́ он рабо́тал. Ра́ньше Ни́на рабо́тала в шко́ле, а сейча́с она́ рабо́тает в университе́те. Сего́дня понеде́льник — мы рабо́таем, а вчера́, в воскресе́нье, мы не рабо́тали, мы бы́ли в кино́, обе́дали в рестора́не.

Скажи́те, пожа́луйста:

1. Вчера́ вы смотре́ли телеви́зор?
2. Вы за́втракали сего́дня у́тром?
3. Вчера́ ве́чером вы слу́шали хоро́шую му́зыку?
4. Где вы жи́ли ра́ньше и где живёте сейча́с?
5. Где вы рабо́тали ра́ньше и где рабо́таете сейча́с?
6. Когда́ вы купи́ли проду́кты?
7. Кому́ вы купи́ли ру́сские сувени́ры?
8. Что вы де́лали вчера́ ве́чером?
9. Вчера́ вам бы́ло хо́лодно?
10. Ско́лько вам бы́ло лет 3 го́да наза́д? (How old You were three years ago?) 5 лет наза́д?

Чита́йте.

Сего́дня воскресе́нье. Анто́н не рабо́тает. Он отдыха́ет: смо́трит телеви́зор, чита́ет газе́ту, говори́т по телефо́ну. Его́ жена́ гото́вит обе́д в ку́хне, и Анто́н помога́ет (helps) ей.

А что де́лал Анто́н вчера́? Make the Past Tense:

А вчера́ была́ суббо́та. Анто́н то́же ...

Зако́нчите предложе́ния (Complete the sentences).

1. Сейча́с я живу́ в Москве́, а ра́ньше ...
2. Сего́дня мы чита́ем но́вый текст. Вчера́ мы то́же ...
3. Вчера́ я был до́ма, сего́дня ...
4. Сего́дня у меня́ есть де́ньги, а вчера́ ...
5. Ра́ньше я ничего́ не понима́л по-ру́сски, а сейча́с ...
6. Сейча́с я немно́го говорю́ и понима́ю по-ру́сски, а ра́ньше ...

Диало́ги

1. — Ма́ша, ты купи́ла фру́кты?
— Да. Я всё купи́ла сего́дня у́тром.
— Как у́тром? Ты сего́дня не рабо́тала?
— Рабо́тала, но могла́ э́то сде́лать.

2. — Ива́н, что вы де́лали вчера́?
— Ничего́ не де́лал: чита́л, смотре́л ви́део.
— А в рестора́не не́ были?
— Нет, не́ был. Я хоте́л быть до́ма...

3. — Вчера́ я хоте́л купи́ть но́вый при́нтер, но у меня́ не́ было де́нег. У тебя́ есть де́ньги? Ты мо́жешь дать мне 5000 (пять ты́сяч) рубле́й?
— К сожале́нию, у меня́ то́лько 3000 (три ты́сячи) рубле́й. Хо́чешь?
— Нет, спаси́бо. Я не зна́ю, кто мо́жет дать ещё две ты́сячи. Ду́маю, я куплю́ при́нтер пото́м.

4. — У вас есть маши́на?
— Нет, сейча́с нет. Ра́ньше в мое́й стране́ у меня́ была́ маши́на. Здесь в Москве́ мне не нужна́ маши́на. Мне нра́вится моско́вское метро́.
— Да, метро́ — хоро́ший и бы́стрый тра́нспорт.

Бу́дущее вре́мя / Future Indefinite Tense

We put the verb **быть** according to the person plus the infinitive:

Я **бу́ду** Ты **бу́дешь** Он, она́, оно́ **бу́дет** Мы **бу́дем** Вы **бу́дете** Они́ **бу́дут**	+ **рабо́тать,** **чита́ть**...	I You He, She, It We You They	+ will work, read... etc.

1. За́втра я бу́ду рабо́тать, а моя́ жена́ не бу́дет рабо́тать.
2. Сего́дня ве́чером я бу́ду смотре́ть телеви́зор. А вы?
3. В суббо́ту мы бу́дем обе́дать в рестора́не, а у́жинать мы бу́дем до́ма.
4. Па́па дал мне де́ньги, и за́втра у меня́ бу́дет но́вый компью́тер!
5. Сего́дня мне 19 (девятна́дцать) лет, а за́втра у меня́ бу́дет день рожде́ния, и мне бу́дет 20 (два́дцать) лет.
6. Сейча́с тепло́, но ве́чером, говоря́т, бу́дет хо́лодно.
7. Когда́ я бу́ду рабо́тать, у меня́ бу́дет дом, маши́на.
8. За́втра воскресе́нье, и мои́ ма́ма и па́па не бу́дут рабо́тать.
9. Я до́лжен рабо́тать, и у меня́ не бу́дет вре́мени посмотре́ть телеви́зор сего́дня ве́чером.

Скажи́те, пожа́луйста:

1. Вы бу́дете до́ма за́втра ве́чером?
2. Вы бу́дете рабо́тать в воскресе́нье? А в четве́рг?
3. Что вы бу́дете де́лать в суббо́ту?
4. У вас бу́дет вре́мя посмотре́ть телеви́зор сего́дня ве́чером?

5. Вы бу́дете гото́вить у́жин сего́дня ве́чером?

6. Ва́ши роди́тели бу́дут обе́дать в рестора́не в воскресе́нье?

Глаго́лы движе́ния / Verbs of Motion

There is a special group of verbs in Russian that expresses movement or transportation from one point to another: walking, riding, driving, carring... ets. Here we`ll take only two meanings — walking and riding:

Unidirectional motion — Гру́ппа I	Multidirectional motion — Гру́ппа II
идти́ [eettée]	**ходи́ть** [hadit'] — to go/come (by foot)

Present Indefinite Tense

Я	**иду́**	Мы	**идём**	Я	**хожу́**	Мы	**хо́дим**
Ты	**идёшь**	Вы	**идёте**	Ты	**хо́дишь**	Вы	**хо́дите**
Он(а́)	**идёт**	Они́	**иду́т**	Он(а́)	**хо́дит**	Они	**хо́дят**

Past Indefinite Tense

Он шёл, она́ шла, они́ шли	Он ходи́л, она́ ходи́ла, они́ ходи́ли
е́хать [yehat']	**е́здить** [yezdit'] — to go/come (by vehicle)

Present Tense

Я	**е́ду**	Мы	**е́дем**	Я	**е́зжу**	Мы	**е́здим**
Ты	**е́дешь**	Вы	**е́дете**	Ты	**е́здишь**	Вы	**е́здите**
Он(а́)	**е́дет**	Они́	**е́дут**	Он(а́)	**е́здит**	Они́	**е́здят**

Past Indefinite Tense

Он **е́хал**, она́ **е́хала**, они́ **е́хали**	Он **е́здил**, она́ **е́здила**, они́ **е́здили**

7-1563

What is the difference between group № 1 and group № 2? — Verbs of gr. № 1 — **идти́**, **е́хать**...— mean: “to move only in one direction”.

Verbs of gr. № 2 — **ходи́ть**, **е́здить** — mean: “to walk”, “to move in many directions” or to do the motion periodically — if you mean that you move in one direction every day, often, sometimes... — not only one time.

Look at the next tables with verbs of motion:

Unidirectional Verbs

Inf.	**идти́**	**е́хать**	**вести́**	**нести́**	**лете́ть**	**бежа́ть**	**плыть**	**везти́**
Я	иду́	е́ду	веду́	несу́	лечу́	бегу́	плыву́	везу́
Ты	идёшь	е́дешь	ведёшь	несёшь	лети́шь	бежи́шь	плывёшь	везёшь
Он(а́)	идёт	е́дет	ведёт	несёт	лети́т	бежи́т	плывёт	везёт
Мы	идём	е́дем	ведём	несём	лети́м	бежи́м	плывём	везём
Вы	идёте	е́дете	ведёте	несёте	лети́те	бежи́те	плывёте	везёте
Они́	иду́т	е́дут	веду́т	несу́т	летя́т	бегу́т	плыву́т	везу́т
Он	шёл	е́хал	вёл	нёс	лете́л	бежа́л	плы́л	вёз
Она́	шла	е́хала	вела́	несла́	лете́ла	бежа́ла	плыла́	везла́
Они́	шли	е́хали	вели́	несли́	лете́ли	бежа́ли	плы́ли	везли́
Imp.	Иди́!	Поезжа́й!	Веди́!	Неси́!	Лети́!	Беги́!	Плыви́!	Вези́!

Multidirectional Verbs

Inf.	**ходи́ть**	**е́здить**	**води́ть**	**носи́ть**	**лета́ть**	**бе́гать**	**пла́вать**	**везти́**
Я	хожу́	е́зжу	вожу́	ношу́	лета́ю	бе́гаю	пла́ваю	вожу́
Ты	хо́дишь	е́здишь	во́дишь	но́сишь	лета́ешь	бе́гаешь	пла́ваешь	во́зишь
Он(а́)	хо́дит	е́здит	во́дит	но́сит	лета́ет	бе́гает	пла́вает	во́зит
Мы	хо́дим	е́здим	во́дим	но́сим	лета́ем	бе́гаем	пла́ваем	во́зим
Вы	хо́дите	е́здите	во́дите	но́сите	лета́ете	бе́гаете	пла́ваете	во́зите
Они́	хо́дят	е́здят	во́дят	но́сят	лета́ют	бе́гают	пла́вают	во́зят
Он	ходи́л	е́здил	води́л	носи́л	лета́л	бе́гал	пла́вал	вози́л
Она́	ходи́ла	е́здила	води́ла	носи́ла	лета́ла	бе́гала	пла́вала	вози́ла
Они́	ходи́ли	е́здили	води́ли	носи́ли	лета́ли	бе́гали	пла́вали	вози́ли
Imp.	Ходи́!	—	Води́!	Носи́!	Лета́й!	Бе́гай!	Пла́вай!	Вози́!

Very useful words

всегда́ [fsegdá]	always
никогда́ [nikagdá]	never
ча́сто [chásta]	ofeen
ре́дко [rétka]	seldom
иногда́ [inagdá]	some-times
не́сколько раз [niéskal'ka ras]	several times
мно́го раз [mnóga ras]	many times
обы́чно [abýchna]	usually
ка́ждый день [kazhdyĭ den']	every day

Memorize

If we use one of these words, we need to say only Multidirectional Verb of motion after.

Сего́дня я **иду́** в кино́. — Я **хожу́** в кино́ ка́ждую суббо́ту.

Сейча́с мы **е́дем** в Петербу́рг. — Мы всегда́ **е́здим** в Петербу́рг на по́езде.

ОТКУ́ДА? ≠ КУДА́?
WHERE FROM? ≠ WHERE?

Verbs of motion mean the movement from one point (from where?) to another (where?). And you meet here two new questions:

Отку́да? (but you met it before — **Отку́да вы?**) and **Куда́?** (This questions means only the direction of the movement!) Answering this questions we use words with next prepositions:

Отку́да?			**Куда́?**		
from inside	**из**	+ **Gen.**	to inside	**в**	+ **Acc.**
down from	**с**		on	**на**	

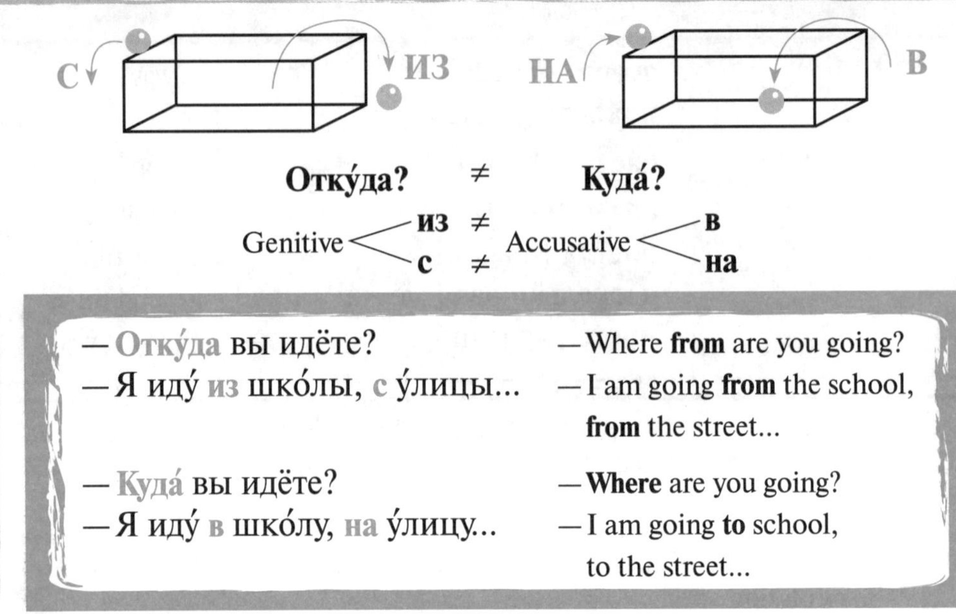

— **Отку́да** вы идёте? — Where **from** are you going?
— Я иду́ **из** шко́лы, **с** у́лицы... — I am going **from** the school, **from** the street...

— **Куда́** вы идёте? — **Where** are you going?
— Я иду́ **в** шко́лу, **на** у́лицу... — I am going **to** school, to the street...

Sometimes, answering the question **куда́?** we use words which mean any kind of event or process, but not location:

Я иду́ **на уро́к**, **на обе́д**, **на конце́рт**... и т.д.

I am going *to the lesson*, *to the dinner*, *to the concert*... etc. In this case in Russian we put preposition **на**.

Пра́ктика

1. Сейча́с я **иду́ в** парк. — Я ча́сто **хожу́ в** парк.
2. Сейча́с я **е́ду в** магази́н. — Я **ча́сто е́зжу в** магази́н.
3. Сего́дня мы **идём на** уро́к. — Мы **ка́ждый день хо́дим на** уро́к.
4. Сего́дня мы **е́дем в** рестора́н на обе́д. — Мы **ка́ждое воскресе́нье е́здим в** рестора́н на обе́д.

Скажи́те, пожа́луйста:

1. Сего́дня вы идёте в рестора́н?
2. Вы ча́сто хо́дите в рестора́н?
3. Куда́ вы е́здите (хо́дите) ка́ждый день?
4. Куда́ вы обы́чно (е́здите) в воскресе́нье?

Диало́г

На у́лице

— Приве́т, Андре́й! Куда́ ты идёшь?
— Приве́т, Са́ша. Иду́ в музе́й. Там интере́сная ле́кция.
— Ты ча́сто хо́дишь в музе́й и́ли на ле́кции?
— Да нет, неча́сто. У меня́ нет вре́мени. А ты куда́?
— Иду́ в фи́тнес-клуб. Я хожу́ в клуб ка́ждую неде́лю.
— Ну, пока́!
— До свида́ния.

К КОМУ́? Dat. ≠ ОТ КОГО́? Gen.
TO WHOM? ≠ FROM WHOM?

If we say in English: *I am going to my brother* or *I am going from my brother.* In Russian it will be:

Я иду́ **к** бра́ту *и́ли* Я иду́ **от** бра́та.

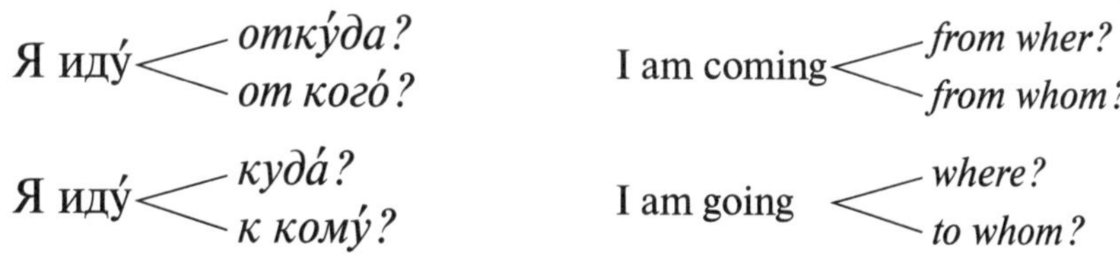

Пра́ктика

1. Утром я иду́ **в** университе́т **к** профе́ссору. — Ве́чером я иду́ **из** университе́та **от** профе́ссора.
2. Сего́дня мы е́дем **в** Москву́ **к** сестре́. — Роди́тели е́дут к нам **из** Москвы́ **от** сестры́.
3. Сейча́с мой друг **идёт** ко мне. — Он ча́сто **хо́дит** ко мне.
4. На́ши друзья́ **е́дут** к нам. — Они́ не о́чень ча́сто **е́здят** к нам.

ТРА́НСПОРТ
TRANSPORT

авто́бус, **тролле́йбус**, **трамва́й**, **метро́**, **такси́**, **маши́на**

е́хать... е́здить	To go by vehicle
на маши́не	by car
на такси́	by taxi
на метро́	by metro
на авто́бусе	by bus
на тролле́йбусе	by trolleybus
на трамва́е	by tram
на по́езде	by train

Я всегда́ е́зжу **в** университе́т **на** метро́, а мой брат е́здит **на** авто́бус**е**.

Обы́чно мы е́здим **на** рабо́ту **на** авто́бус**е**, но сего́дня мы е́хали **на** такси́.

Я люблю́ е́здить **на** маши́н**е**, но у меня́ нет маши́ны, и я е́зжу **на** метро́.

Скажи́те, пожа́луйста:

1. Вы хо́дите и́ли е́здите на рабо́ту (в университе́т)?
2. Как (на чём?) вы е́здите на рабо́ту (в университе́т): на метро́ и́ли на авто́бусе?
3. Вы ча́сто е́здите на метро́?
4. Вы ча́сто е́здите на такси́?
5. Как вы ду́маете, како́й тра́нспорт в Москве́ хоро́ший?
6. Как (на чём?) вы е́здили в университе́т (на рабо́ту) в ва́шей стране́?
7. Вы ча́сто е́здите к друзья́м?
8. Когда́ вы е́здите (хо́дите) в го́сти (visit) к ба́бушке и де́душке?
9. В Москве́ вы ходи́ли в теа́тр и́ли в музе́й?
10. Как мо́жно е́хать из Москвы́ в Петербу́рг: на по́езде, на маши́не и́ли на такси́?

Very useful words

Я пойду́. [ya paydú]	(by foot) I will go.
Я пое́ду. [ya payédu]	(by vehicle)
Пойдём! Пошли́! [paydióm! (pashlí)]	Let`s go!
Пое́дем! Пое́хали! [payédem] paékhali!	Let`s go!
Как дое́хать до... (це́нтра)? [kak doekhat' do... (tséntra)]	How can I get the to... (the center)?
Я хочу́ пое́хать в... (Росси́ю). [ya khachú payékhat' v (Rassíyu)]	I want to go... (to Russia).

As you see in this group of Very Useful words, we put prefixes **по-**, **до-** to verbs of motion and conjugate them. What does it mean?

Prefix **по-** + any Unidirectional verb we use to say about our plans to Future:

Tomorrow we'll go to the theatre. — За́втра мы **пойдём** в теа́тр.

Prefix **до-** + any Unidirectional verb we use if we want to say: to reach, to run up to any place:

We ran up to the theatre by bus. — Мы **дое́хали до** теа́тра на авто́бусе.

You can guess, that adding different prefixes to the same verb, we form the perfective aspect of a verb.

So, if in English we use different words: *to begin the motion*, *to run up to*, *to approach*... etc. — in Russian we use the same verb adding different prefixes: **пойти́ (пое́хать)**, **дойти́ (дое́хать)**, **подойти́ (подъе́хать)**... и т.д.

More information about Perfective aspect of a verb you will get in a special part of the textbook. And you can find the other prefixes to the verbs of motion in Appendix to this textbook.

Скажи́те, пожа́луйста:

1. Сего́дня ве́чером вы пойдёте в рестора́н?
2. Куда́ вы пойдёте (пое́дете) по́сле уро́ка?
3. Куда́ вы пойдёте (пое́дете) в суббо́ту?
4. К кому́ вы хоти́те пое́хать в воскресе́нье?
5. За́втра вы пойдёте в го́сти? К кому́?
6. Вы пое́дете в Петербу́рг? Когда́ вы хоти́те пое́хать?
7. Когда́ вы пое́дете домо́й (в ва́шу страну́)?
8. За́втра вы пойдёте в магази́н? А послеза́втра?
9. Ва́ши роди́тели (parents) пое́дут ле́том в Росси́ю?

Диало́ги

1. — Та́ня, что ты бу́дешь де́лать ве́чером?
— Не зна́ю... А что..?
— Пойдём в кино́?
— С удово́льствием!
— Хорошо́, в 7 часо́в мы пое́дем в центр.
— До ве́чера!

2. — Ма́ша, пойдём ве́чером в кино́?
— Извини́те, не могу́ — я рабо́таю.
— А за́втра?
— За́втра мо́жно пойти́. Когда́ — в семь?
— Да, в 7 часо́в. До за́втра!
— До свида́ния!

3. — Куда́ мы пойдём в воскресе́нье? Ты хо́чешь пое́хать к друзья́м?
— Нет, пое́дем к моему́ бра́ту. Я не ви́дел его́ 2 го́да. (I didn`t see him for...)

Very useful words

остано́вка авто́буса, тролле́йбуса, трамва́я [astanófka aftóbusa, tralléybusa, tramváya]	bus, trolleybus, tram stop
Скажи́те, пожа́луйста, где остано́вка авто́буса но́мер 5?	
Этот авто́бус (тролле́йбус...) идёт в центр?	Does this bus (trolléybus...) run downtown?
Како́й авто́бус идёт в центр?	
ста́нция метро́	Metro station
Скажи́те, пожа́луйста, где ста́нция метро́?	
Как называ́ется э́та ста́нция (у́лица, э́тот го́род...)? [kak nazyváyetsa éta stántseya (úlitsa, état górat...)]	What is the name of this station (street, city...)?

вход [fhot]	entrance
Где вход в метро́?	Where is the entrance?
Нет вхо́да. Не входи́ть!	No entrance.
вы́ход [výhat]	exit
вы́ход в го́род [výhat v górat]	exit to town
нет вы́хода	no exit
запа́сный вы́ход	emergency exit
перехо́д [perehót]	crosswalk
перехо́д на ста́нцию...	transfer in the subway
Вы выходите... (на сле́дующей)..? [vy vyhódet'e... (na sliédushchey)]	Are you getting off... (next stop)?
Где мне выходи́ть? [gde mne vyhadit']	Where must I get off?
Сле́дующая остано́вка (ста́нция)... [sliédushchaya astanófka (stántseya)]	Next stop...
Кака́я сле́дующая остано́вка (ста́нция)?	What is the next stop?
Извини́те... **и́ли**... **Разреши́те пройти́.** [razreshét'e praytí]	Pardon me... or... Let me pass.
Осторо́жно! Две́ри закрыва́ются, сле́дующая ста́нция... [astarózhna, dvérie zakryváyutsa, slédushchaya stántseya...]	Careful! The doors are closing, next station is...
Ста́нция («Белору́сская»), перехо́д на кольцеву́ю ли́нию... [stántseya (belarúskaya), perehót na kal'tsyvuyu liniyu]	Station... («Belorooskaya»), transfer to the ring-line...

Текст

Я тури́ст из Аме́рики, живу́ в Москве́ то́лько 2 (два) дня и сего́дня хочу́ посмотре́ть го́род. Говоря́т, центр Москвы́ о́чень краси́вый. Но как дое́хать до це́нтра?

— Скажи́те, пожа́луйста, как дое́хать до це́нтра.

— Мо́жно на авто́бусе, а мо́жно на метро́.

— А что лу́чше? [luchshe] (And what is better?)

— Не зна́ю. **Если** хоти́те посмотре́ть у́лицы — лу́чше е́хать на авто́бусе. Хоти́те посмотре́ть краси́вые ста́нции метро́ и сэконо́мить вре́мя — поезжа́йте на метро́. (If you want to watch streets, it is better to go by bus. If you want to see beautiful metro stations and safe your time — go by metro.)

— Ско́лько вре́мени я бу́ду е́хать?

— На авто́бусе — мину́т 20–25, а на метро́ — мину́т 10.

— Интере́сно! Я сде́лаю так: в центр пое́ду на авто́бусе, а из це́нтра — на метро́. Скажи́те, где здесь остано́вка авто́буса?

— Смотри́те! Там кра́сная бу́ква «М», э́то ста́нция метро́. И там то́же остано́вка авто́буса но́мер 89 (во́семьдесят де́вять), он идёт в центр. Но снача́ла купи́те тало́ны.

— А что э́то — тало́ны?

— Тало́ны — э́то биле́ты (tickets) на авто́бус, тролле́йбус и трамва́й. А на метро́ ну́жно купи́ть специа́льные (special) биле́ты.

— А где э́то мо́жно купи́ть?

— Тало́ны мо́жно купи́ть у води́теля (driver), а биле́т на метро́ — в ка́ссе метро́. Вы то́лько скажи́те: «Да́йте мне биле́т на 1 (одну́) и́ли 2 (две) пое́здки». (Give me one or two trip ticket.)

— Ох, ско́лько информа́ции! Спаси́бо большо́е! До свида́ния!

— Пожа́луйста. Всего́ хоро́шего!

В метро́

Так... Вот ка́сса. «Да́йте, пожа́луйста, биле́т на одну́ пое́здку». Ду́маю, сейча́с я пое́ду на метро́, е́сли я здесь. А из це́нтра пое́ду на авто́бусе. Посмотрю́, что де́лают пассажи́ры и то́же бу́ду де́лать так. Но куда́ мне е́хать? Как называ́ется ста́нция?

— Скажи́те, как мне дое́хать до це́нтра?

— Вам на́до е́хать три остано́вки до ста́нции «Театра́льная».

— Спаси́бо. Вот и по́езд идёт!

В по́езде хорошо́, тепло́, чи́сто (clean). Вот ста́нция — что говори́т ди́ктор? А, понима́ю: «Ста́нция "Тверска́я", перехо́д на ста́нцию "Че́ховская" и "Пу́шкинская"».

А пото́м ди́ктор говори́т: «Осторо́жно, две́ри закрыва́ются! Сле́дующая ста́нция "Театра́льная"». О, э́то моя́ ста́нция! Что мне на́до де́лать? Я говорю́: «Вы выхо́дите?» — «Да-да, выхожу́». Кака́я больша́я ста́нция! И как мно́го люде́й! (So many people!) Все зна́ют, куда́ на́до идти́, и то́лько я ничего́ не зна́ю! Чита́ю: «Вы́ход в го́род и перехо́д на ста́нцию...» — Хорошо́! Понима́ю! Иду́ в го́род!

В це́нтре го́рода

Как здесь краси́во! Вот Большо́й теа́тр — я зна́ю, там мо́жно посмотре́ть прекра́сный ру́сский бале́т и послу́шать о́перу. Я хочу́ пойти́ в Большо́й теа́тр в суббо́ту ве́чером.

А сейча́с я пойду́ на Кра́сную пло́щадь. Но где она́?

— Скажи́те, пожа́луйста, как пройти́ на Кра́сную пло́щадь?

— Иди́те пря́мо, а пото́м — нале́во.

— Извини́те. Я не понима́ю.

— О, я ду́мал, что вы ру́сский. Вы хорошо́ говори́те по-ру́сски. Отку́да вы?

— Я из Аме́рики, из Флори́ды.

— Как хорошо́! Там всегда́ тепло́, а в Москве́ сейча́с хо́лодно... Да, вам нужна́ Кра́сная пло́щадь. Я скажу́ по-англи́йски: «Go stright, then turn to the left...»

— Thank You so much! Ой, нет! Я говорю́ по-ру́сски: «Спаси́бо большо́е!»

...

Так, на Кра́сной пло́щади был, Кремль посмотре́л, сейча́с ну́жно е́хать в гости́ницу (to the hotel).

— Извини́те, где остано́вка авто́буса но́мер 89?

— Иди́те пря́мо, пото́м — ме́тров 20 напра́во. Там остано́вка.

— Спаси́бо. Так, «пря́мо» — я зна́ю, а «напра́во» — ду́маю, to the right... Иду́ напра́во. Да, вот остано́вка, а вот и авто́бус.

В авто́бусе

— Да́йте, пожа́луйста, оди́н тало́н. Что я сейча́с до́лжен де́лать?

— Возьми́те тало́н и прокомпости́руйте его́. Не понима́ете? Да́йте мне, я сде́лаю. Вот, пожа́луйста.

— Спаси́бо. А когда́ бу́дет остано́вка «Гости́ница»?

— Не ско́ро (not soon), мину́т че́рез 20. Лу́чше бы́ло е́хать на метро́.

— Да, я понима́ю... Но я хоте́л посмотре́ть го́род, а в метро́ я уже́ был.

— А-аа, коне́чно. Ну, ничего́: 20 мину́т — немно́го. Я скажу́, когда́ вам ну́жно выходи́ть.

— Спаси́бо!

Ох, како́й большо́й го́род Москва́! Как мно́го люде́й, маши́н! Каки́е больши́е у́лицы!

И как я уста́л! (And I am so tired!) Но мне здесь нра́вится! И за́втра я опя́ть пое́ду смотре́ть го́род, пойду́ в музе́й, а пото́м поу́жинаю в рестора́не.

Скажи́те, пожа́луйста:

1. Где был тури́ст?
2. Как он е́хал в центр и из це́нтра?
3. Что он смотре́л?
4. Что он уже́ зна́ет?
5. Что он хо́чет де́лать за́втра?
6. Ему́ нра́вится Москва́?
7. Он хорошо́ говори́т и понима́ет по-ру́сски?

Несоверше́нный и соверше́нный вид глаго́ла / Imperfective and perfective form of verbs

Most Russian verbs have two separate forms: the imperfective and the perfective aspects. And usually the teacher gives you an aspect pair of any new verb:

Imperfective		Perfective	
де́лать	to be doing	**сде́лать**	to have done
чита́ть	to be reading	**прочита́ть**	to have read
покупа́ть	to be buying	**купи́ть**	to have bought

Many perfective aspect verbs are formed by adding the prefix to the corresponding imperfective aspect verb (**де́лать — сде́лать**). There are many prefixes in Russian. Sometimes, we add suffix (**покупа́ть — купи́ть**), and sometimes, we use another word for perfective aspect (**говори́ть — сказа́ть**).

All forms of the imperfective aspect (the infinitive, the present, past and future tense forms) mean a process, everyday or periodic doing, your action in the system: so, it will be action on going or repeated:

Что ты де́лаешь? — Я чита́ю.

And if we use such words as **ка́ждый** *every day*, *always*, *often*... etc, we use imperfective verbs:

Ка́ждый день я чита́ю газе́ту.

The perfective aspect verbs denote a completed action or result of an action. So, perfective verbs exist only in the past or future tense forms:

Ты прочита́л кни́гу? — Нет, я не прочита́л её, я чита́ю её сейча́с, но за́втра я прочита́ю её.

You already know how to form Past and Future Indefinite Tense. Verbs in the Past Perfect Tense have the same suffix **-л-** plus ending according to gender: **-а**, **-о**, **-и**...
Verbs in the Future Perfect Tense are conjugated like in Present Indefinite Tense...

Compare:

Present Indefinite Tense		Future Perfect Tense	
Я **чита́ю**	I am reading	Я **прочита́ю**	I will have read
Он **чита́ет**	He is reading	Он **прочита́ет**	He will have read
Мы **чита́ем**	We are reading	Мы **прочита́ем**	We will have read

Imperfective aspect (action on going or repeated)	**Perfective aspect** (result or completed action)
Infinitive	
Я хочу́ **чита́ть** кни́гу. I want to read a book.	Я хочу́ **прочита́ть** кни́гу. I want to finish a book.
Present	**No Present tense**
Я **чита́ю** кни́гу. I am reading a book.	—
Past	
Вчера́ я **чита́л** кни́гу. Yesterday I was reading a book.	Я **прочита́л** кни́гу. I finished the book.
Future	
Я **бу́ду чита́ть** кни́гу. I will be reading a book.	Я **прочита́ю** кни́гу. I will finish the book.

Диало́ги

1. — Что ты де́лаешь?
   — Чита́ю кни́гу.
   — Когда́ прочита́ешь, дай мне.
   — Хорошо́, за́втра дам.

2. — Ты купи́ла проду́кты?
   — Нет ещё, я рабо́таю.
   — А ве́чером ку́пишь?
   — Коне́чно, куплю́.

3. — Когда́ вы пое́дете в Москву́?
   — Во вто́рник.
   — Вы уже́ купи́ли биле́ты?
   — Сего́дня пое́ду покупа́ть. Куплю́ биле́ты туда́ и обра́тно (round trip).

4. — Вы пое́дете в Петербу́рг на по́езде?
   — Да.
   — Ско́лько часо́в вы бу́дете е́хать?
   — Мы бу́дем е́хать 8 часо́в — всю ночь. Но я бу́ду спать.

5. — Что вы де́лали вчера́?
   — Смотре́ли но́вый фильм.
   — А я уже́ посмотре́л его́.

6. — Мне ну́жно в центр. Где мне выходи́ть?
   — Ещё не ско́ро. Я скажу́, когда́ на́до выходи́ть.
   — Спаси́бо.

7. — Что вы бу́дете де́лать за́втра?
   — Мы бу́дем рабо́тать, а пото́м хоти́м пойти́ в рестора́н. Пойдём с на́ми?
   — С удово́льствием!

8. — Ве́чером ты бу́дешь до́ма?
— Да, я не хочу́ никуда́ идти́.
— У меня́ есть биле́ты в теа́тр. Пойдём?
— Извини́, не могу́. Очень уста́ла.

9. — У тебя́ есть пла́ны на суббо́ту?
— Нет ещё.
— Пойдём в кино́?
— Не зна́ю. Я скажу́ тебе́ за́втра.

10. — Нам ну́жно мно́го сде́лать, а вре́мени нет!
— Ничего́, я помогу́. Что на́до сде́лать?
— Купи́ проду́кты и пригото́вь у́жин...

Вы́берите пра́вильную фо́рму глаго́ла / Put the verb in the necessary form.

1. Ка́ждый день я ... . Мно́го рабо́ты. Мы ... рабо́ту и пошли́ в кино́.	де́лать / сде́лать
2. Сего́дня я бы́стро ... и пое́хал в о́фис. Обы́чно я не ... до́ма, я ... в о́фисе.	за́втракать / поза́втракать
3. Я ... ма́ме ка́ждый ве́чер. Ве́чером мой друг ... мне и пригласи́л (invited) в теа́тр.	звони́ть / позвони́ть
4. Я хочу́ ... рома́н «Анна Каре́нина» по-ру́сски. Я люблю́ ... , слу́шать му́зыку.	чита́ть / прочита́ть
5. Извини́те, я не ... , как вас зову́т. Сего́дня я ... , где рабо́тает мой но́вый друг.	знать / узна́ть
6. Я не люблю́ ... и не ... мно́го проду́ктов. Но сего́дня мы ... мя́со и о́вощи и ... вку́сный обе́д.	гото́вить / пригото́вить покупа́ть / купи́ть

8-1563

ОБЗО́РНАЯ СТРАНИ́ЦА

By now you know the following Russian questions and answers:

1. — **Ско́лько** вам **лет**?	— How old are you?
— Мне два́дцать лет.	— I am twenty years old.
2. — Что вам **ну́жно**?	— What do you need?
— Мне **ну́жен** журна́л, **нужна́** газе́та...	— I need the magazine, newspaper...
3. — **Вам хо́лодно?**	— Are you cold?
— Нет, мне хорошо́.	— No, I am all right.
4. — **Вам нра́вится**..?	— Do you like..?
— Да, мне нра́вится...	— Yes, I like it...

You know the Imperative form of the Russian verb:

Да́й(те) мне... Give me...
Слу́шай(те)... Listen... etc.

And at last you know all the forms and tenses of the russian verbs.

Using this text as a model, tell, what Viktor did yesterday and what he will do tomorrow:

Сего́дня Ви́ктор до́ма. Он чита́ет интере́сную кни́гу и слу́шает му́зыку. Он не смо́трит телеви́зор. До́ма тепло́, хорошо́. Ви́ктору интере́сно чита́ть, но он до́лжен пойти́ в магази́н и пригото́вить обе́д. У него́ нет мя́са, карто́шки, молока́, хле́ба... Ему́ ну́жно купи́ть проду́кты.

Вчера́ Ви́ктор...
За́втра Ви́ктор...

Let's try to read the story and then, using this text as model, tell us about yourself and put some questions to your schoolmate.

 **Текст**

Я молодо́й челове́к, мне 22 (два́дцать два) го́да. Я рабо́таю в магази́не, а ве́чером я учу́сь (study) в университе́те — мне ну́жно хорошо́ знать би́знес и ма́рке́тинг. Я о́чень люблю́ му́зыку и хорошо́ зна́ю класси́ческую му́зыку, но у меня́ нет вре́мени ходи́ть на конце́рты — я до́лжен мно́го рабо́тать. У меня́ есть семья́: ма́ма, па́па, ста́ршая сестра́ и мла́дший брат.

Мое́й сестре́ 25 (два́дцать пять) лет. Она́ за́мужем (she is married). Сейча́с она́ не рабо́тает, потому́ что [patamúshta] (because) у неё есть ма́ленький сын. Ему́ 2 (два) го́да. Он о́чень симпати́чный ма́льчик, я люблю́ его́.

Моему́ бра́ту 17 (семна́дцать) лет. Он у́чится (studies) в университе́те. Он хорошо́ зна́ет матема́тику и фи́зику, но он хо́чет быть хоро́шим специали́стом по компью́терам.

Мой оте́ц (father) — банки́р. Ему́ 58 (пятьдеся́т во́семь) лет. Он о́чень мно́го рабо́тает, всегда́ за́нят (busy). Моя́ мать (mother) ра́ньше рабо́тала инжене́ром, а сейча́с не рабо́тает, потому́ что она́ должна́ помога́ть отцу́. Ей 49 (со́рок де́вять) лет. Она́ лю́бит, когда́ мы все (all) до́ма, но мы всегда́ за́няты (busy). Вот и сего́дня ма́ма до́ма одна́, потому́ что оте́ц ещё рабо́тает, я ве́чером учу́сь, брат пошёл в библиоте́ку, а сестра́ здесь не живёт. Но в воскресе́нье мы все пойдём в рестора́н: бу́дем вме́сте (together) обе́дать, мно́го говори́ть.

А вы мо́жете рассказа́ть, что вы де́лаете, что лю́бите, кака́я ва́ша семья́..?

ПОЧЕМУ́? ПОТОМУ́ ЧТО...
WHY? BECAUSE...

— **Почему́** [pachemú] вы не рабо́таете?
— **Потому́ что** [patamúshta] я уста́л (I am tired).

— **Почему́** ты не идёшь в рестора́н?
— **Потому́ что** (у меня́) нет де́нег.

— **Почему́** ты не спишь? Уже́ 12 часо́в!
— **Потому́ что** я чита́ю интере́сный журна́л.

Текст

Ви́ктор — программи́ст. Он рабо́тает в фи́рме. У него́ нет маши́ны, и ка́ждый день он е́здит в фи́рму на метро́. Он до́лжен е́хать на рабо́ту 40 (со́рок) мину́т. В метро́ Ви́ктор чита́ет но́вую газе́ту и́ли но́вый журна́л.

Вчера́ Ви́ктор купи́л компью́тер. Он до́лжен мно́го рабо́тать до́ма, и компью́тер о́чень ну́жен ему́.

За́втра воскресе́нье, и Ви́ктор мо́жет пойти́ в клуб и́ли в теа́тр. А мо́жет быть (maybe), он пойдёт в кино́ на но́вый фильм — он не зна́ет, что бу́дет де́лать за́втра: он не хо́чет е́хать на метро́, а маши́ны у него́ нет.

Скажи́те, пожа́луйста:

1. Почему́ Ви́ктор е́здит на метро́?
2. Почему́ он чита́ет в метро́?
3. Почему́ Ви́ктор купи́л компью́тер?
4. Почему́ он не зна́ет, что бу́дет де́лать за́втра?

ПОЭ́ТОМУ
THEREFORE

У Ви́ктора нет маши́ны, поэ́тому [paétamu] он е́здит в метро́.

Он е́дет 40 мину́т, поэ́тому в метро́ он чита́ет.

Ви́ктор до́лжен мно́го рабо́тать до́ма, поэ́тому он купи́л компью́тер.

За́втра воскресе́нье, поэ́тому Ви́ктор мо́жет пойти́ в клуб и́ли в кино́.

УЧИ́ТЬСЯ, ЗАНИМА́ТЬСЯ
TO STUDY AT

учи́ться [uchítsa] — to study at... (school, university...etc.)
занима́ться [zanimátsa] — to study (yourself at home, library... etc.)

Here you've met new verbs with the particle **-ся**, which gives the reflexive meaning to the transitive verbs. The conjugation of this verbs is according to the group number 1 or 2 plus the particle which has two variant forms: **-ся** after a consonant (including the soft sign) and **-сь** after a vowel sound.

учи́ться		**занима́ться**	
Я **учу́сь**	Мы **у́чимся**	Я **занима́юсь**	Мы **занима́емся**
Ты **у́чишься**	Вы **у́читесь**	Ты **занима́ешься**	Вы **занима́етесь**
Он(а́) **у́чится**	Они́ **у́чатся**	Он(а́) **занима́ется**	Они́ **занима́ются**

Диало́ги

1. — Где вы у́читесь?
   — Я учу́сь в университе́те.
   — А ваш брат то́же у́чится?
   — Да, он у́чится в шко́ле.
   — Пото́м он хо́чет учи́ться в институ́те.

2. — Ско́лько вам лет?
   — Мне 21 (два́дцать оди́н) год.
   — Вы у́читесь и́ли рабо́таете?
   — Я рабо́таю. А вы?
   — Я ещё учу́сь в ко́лледже.

3. — Что ты сего́дня де́лаешь?
   — Днём я учу́сь, а ве́чером бу́ду занима́ться в библиоте́ке.

4. — Ве́чером ты свобо́ден?
   — К сожале́нию, нет. В сре́ду экза́мен, и я до́лжен мно́го занима́ться.

Скажи́те, пожа́луйста:

1. Вы у́читесь и́ли рабо́таете?
2. Где вы у́читесь (рабо́таете)?
3. Где вы учи́лись ра́ньше?
4. Вы мно́го занима́етесь?
5. Где вы лю́бите занима́ться: до́ма и́ли в библиоте́ке?
6. Что де́лают ва́ши друзья́: у́чатся и́ли рабо́тают?
7. Где они́ у́чатся (рабо́тают)?
8. Ско́лько лет вы учи́лись в шко́ле?
9. Почему́ вы занима́етесь ру́сским языко́м (study Russian)?
10. Вы лю́бите занима́ться спо́ртом?

УЧИ́ТЬ, ИЗУЧА́ТЬ
TO LEARN, TO STUDY

учи́ть [uchít'] (*кого? что?*) — to learn (what?) or teach (whom?) + Acc.
изуча́ть [izuchát'] (*кого? что?*) — to study (what?) + Acc.

Я изуча́ю ру́сский язы́к. Ка́ждый день я учу́ но́вые слова́.	I study Russian. Every day I learn new words.
Моя́ ма́ма — учи́тельница. Она́ у́чит дете́й в шко́ле.	My mother is a teacher. She teaches children at scholl.
Я учу́сь в университе́те. Там я изуча́ю фи́зику.	I study at the University. I study physics there.

Текст

Встре́ча на у́лице

— Здра́вствуй, Ма́ша. Как ты живёшь, как твои́ де́ти? Я ду́маю, твой сын уже́ большо́й, ему́ лет 20. Что он де́лает: учи́тся и́ли рабо́тает?

— Здра́вствуй, Анна! Очень ра́да тебя́ ви́деть! (I am glad to see You!) У меня́ всё хорошо́. Сын Ви́ктор у́чится в университе́те. Ему́ **действи́тельно** 20 лет. А до́чери Ната́ше 17 лет. Она́ у́чится в шко́ле, в 10-м (деся́том) кла́ссе. А пото́м она́ хо́чет учи́ться в университе́те, как Ви́ктор.

— У тебя́ серьёзные де́ти, Ма́ша. Что изуча́ет Ви́ктор?

— О! Он **действи́тельно** серьёзный челове́к: он изуча́ет фи́зику. И я не понима́ю, как он мо́жет учи́ть и знать неинтере́сные фо́рмулы! Но он говори́т, что фи́зика — э́то о́чень интере́сно.

— А Ната́ша? Она́ то́же хо́чет изуча́ть фи́зику, как брат?

— Нет. Она́ лю́бит литерату́ру и иностра́нные языки́ (foreign languages). В шко́ле она́ изуча́ет англи́йский язы́к, но три ра́за в неде́лю занима́ется на ку́рсах, там она́ изуча́ет францу́зский язы́к. Она́ мно́го и серьёзно занима́ется, и я ду́маю, что она́ бу́дет хорошо́ учи́ться в университе́те. А как твой сын, Анна? Он то́же у́чится? Ско́лько ему́ лет?

— Анто́ну 21 год. К сожале́нию, он пло́хо учи́лся в шко́ле, поэ́тому в университе́т не пошёл. Сейча́с он рабо́тает в автосе́рвисе. У него́ хоро́шая рабо́та, есть де́ньги. Но он понима́ет, что ему́ ну́жен дипло́м специали́ста, поэ́тому занима́ется на ку́рсах программи́стов, а пото́м он хо́чет изуча́ть ме́неджмент и ма́рке́тинг. Я не о́чень хорошо́ понима́ю э́ти иностра́нные слова́, но он говори́т, что э́ти профе́ссии о́чень нужны́.

— Я ра́да, Ма́ша, что ви́дела тебя́! Приходи́ в го́сти!

— Спаси́бо, Анна. Я то́же ра́да была́ тебя́ ви́деть! И ты приходи́ в го́сти. До свида́ния!

— Всего́ хоро́шего!

Э́ТОТ, Э́ТА, Э́ТО, Э́ТИ — THIS ONE, THESE / ТОТ, ТА, ТО, ТЕ — THAT ONE, THOSE

This one	That one
э́тот (дом) [état]	**тот** (дом) [tot]
э́та (у́лица) [éta]	**та** (у́лица) [ta]
э́то (кафе́) [éta]	**то** (кафе́) [to]
э́ти (де́ти) [éti]	**те** (де́ти) [te]

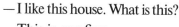

Диало́ги

1. — Мне нра́вится э́тот дом. Что э́то? — I like this house. What is this?
— Это на́ша фи́рма. — This is our firm.

2. — Да́йте, пожа́луйста, журна́л. — Give me please the magazine.
— Како́й? Э́тот? — Which one? This one?
— Нет-нет, тот. — No that one.

3. — Посмотри́, тебе́ нра́вится э́та де́вушка?
— Э́та? Нет, не о́чень. Мне нра́вится та де́вушка.

4. — Вот фо́то, э́то на́ша семья́: ма́ма, па́па, брат.
— А кто э́тот молодо́й челове́к?
— Это мой друг Анто́н.
— Мне нра́вится э́та фотогра́фия: э́ти краси́вые лю́ди, э́тот дом. Это ваш дом?
— Да, э́то наш дом. Этот дом о́чень ста́рый, но мы лю́бим его́.

5. — До́брый день! Что вы хоти́те?
— Я хочу́ посмотре́ть недороги́е, но хоро́шие ру́сские сувени́ры. Эти платки́ дороги́е?
— Этот сто́ит 800 рубле́й, а тот — 1300.
— Да, хоро́шая цена́. А э́та матрёшка ско́лько сто́ит?
— Она́ сто́ит 2500 (две ты́сячи пятьсо́т = две с полови́ной ты́сячи) рубле́й. А та, небольша́я — то́лько 1000 (ты́сячу). Посмотри́те!
— Да, симпати́чная. Так, я возьму́ недорогу́ю матрёшку, э́тот плато́к и, пожа́луйста, э́ти откры́тки. Ско́лько с меня́?

О ЧЁМ? О КОМ?
WHAT ABOUT? WHOM ABOUT?

If we want to say "to speak, to tell, to think ... about" In Russian we use these verbs with nouns, pronouns and ajectives in Prepositional case. You already know it's ending for nouns — it is same as for question **Где?**: **-е**, **-и**... (page 58.)

Где вы живёте? — В Москве́.
О чём [achóm?] вы ду́маете? — О Москве́.

Где ты был? — На ле́кции.
О чём ты говори́шь? — О ле́кции.

Где вы бы́ли? — В теа́тре.
О чём вы говори́те? — О теа́тре.
О чём э́тот фильм? — О любви́ (about love).

If a word starts with a vowel **а**, **о**, **э**, **и**, **у**... we use the preposition **об**:

О чём вы ду́маете? — Я ду́маю **об** Аме́рике, **об** Индии, **об** университе́те, *но* **о** Фра́нции.

Скажи́те, пожа́луйста:

1. Вы ду́маете о до́ме?
2. Вы говори́те до́ма о рабо́те?
3. Вы мно́го зна́ете о Росси́и?
4. Вы мно́го зна́ете о Москве́?
5. Вы ча́сто ду́маете о семье́?
6. Вам нра́вятся фи́льмы о любви́?
7. Вы чита́ете в газе́те об Аме́рике?
8. Вы чита́ли об университе́те в Москве́?

Поря́дковые числи́тельные / Ordinal Numbers

пе́рвый	[piérvyĭ]	first
второ́й	[ftaróy]	second
тре́тий	[triétey]	third
четвёртый	[chetviórtyĭ]	fourth
пя́тый	[piátyi]	fifth
шесто́й	[shestóy]	sixth
седьмо́й	[sied'móy]	seventh
восьмо́й	[vas'móy]	eighth
девя́тый	[dieviátyĭ]	ninth
деся́тый	[diesiátyĭ]	tenth

Како́й э́то уро́к? — Э́то пе́рвый уро́к.
Кака́я э́та кни́га? — Э́то пе́рвая кни́га.
Како́е э́то ме́сто? — Э́то пе́рвое ме́сто.
Каки́е э́то де́ньги? — Э́то пе́рвые де́ньги.

— Како́е сего́дня число́? (Date)
— Сего́дня пе́рвое января́.

Ordinal numbers agree with the nouns in case and have the same question and the same endings as ajectives:

Это моя́ пе́рв**ая** ру́сск**ая** кни́га. (Nom.) Я купи́л мою́ пе́рв**ую** ру́сск**ую** кни́гу (Acc.) в Москве́.

Я учу́сь в Моско́вск**ом** университе́те на втор**о́м** ку́рсе. (Prep.)

На как**о́м** этаже́ вы живёте? — Я живу́ на пя́т**ом** этаже́. (Prep.)

Вчера́ мы говори́ли о пе́рв**ом** ру́сск**ом** космона́вте (astronaut) (Prep.). Юрий Гага́рин — пе́рв**ый** ру́сск**ий** космона́вт. (Nom.)

А вы зна́ете, кто пе́рв**ый** америка́нск**ий** астрона́вт? (Nom.)

Я в Москве́ пе́рв**ый** раз, а мой брат уже́ четвёрт**ый**. (Acc.)

На пе́рв**ом** уро́ке мы изуча́ли ру́сск**ий** алфави́т. (Prep., Acc.)

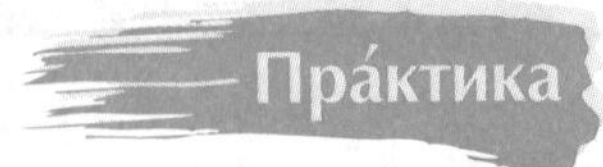

1. 1-й, 11-й, 21-й, 41-й: пе́рвый, оди́ннадцатый, два́дцать пе́рвый, со́рок пе́рвый.

2-й, 12-й, 32-й, 102-й: второ́й, двена́дцатый, три́дцать второ́й, сто второ́й.

4-й, 14-й, 254-й: четвёртый, четы́рнадцатый, две́сти пятьдеся́т четвёртый.

6-й, 46-й, 156-й: шесто́й, со́рок шесто́й, сто пятьдеся́т шесто́й.

7-й, 17-й, 177-й: седьмо́й, семна́дцатый, сто се́мьдесят седьмо́й.

9-й, 19-й, 29-й: девя́тый, девятна́дцатый, два́дцать девя́тый.

2. — Скажи́те, пожа́луйста, како́й э́то авто́бус.
— Это пя́тый авто́бус. (Это авто́бус но́мер пять.)

3. — Скажи́те, деся́тый авто́бус идёт в центр.
— Нет. То́лько тре́тий.

4. — Это кака́я ле́кция — пе́рвая?
— Нет, э́то уже́ тре́тья ле́кция.

5. У нас хоро́шие биле́ты на конце́рт: второ́й ряд, оди́ннадцатое и двена́дцатое места́ (second row, eleventh and twelth seats).

6. Сего́дня я пе́рвый раз иду́ на уро́к ру́сского языка́.

7. — Вы в Москве́ пе́рвый раз?
— Нет, я уже́ четвёртый, но ещё пло́хо зна́ю Москву́ — о́чень большо́й го́род.

8. Я чита́ю э́тот текст второ́й раз, но ничего́ не понима́ю.

9. — Скажи́те, пожа́луйста, на како́м авто́бусе я дое́ду до оте́ля.
— На два́дцать пя́том.

Скажи́те, пожа́луйста:

1. На како́м этаже́ вы живёте?
2. На како́м ку́рсе вы у́читесь?
3. Вы в Росси́и пе́рвый раз?
4. Вы по́мните ваш пе́рвый день в Росси́и?
5. Кака́я была́ ва́ша пе́рвая маши́на?

Прочита́йте текст. Скажи́те, вы то́же составля́ете (= де́лаете) пла́ны?

За́втра мы пое́дем в Росси́ю на неде́лю. Коне́чно, э́то немно́го, е́сли мы е́дем в **пе́рвый** раз. Поэ́тому мы написа́ли план на все 7 дней. Вот что мы написа́ли:

День пе́рвый: Москва́, аэропо́рт, оте́ль, ве́чером немно́го погуля́ем недалеко́ от оте́ля.

День второ́й: экску́рсия на Кра́сную пло́щадь и в Кремль. Ве́чером второ́й раз погуля́ем недалеко́ от оте́ля.

День тре́тий: идём в го́сти к на́шим ру́сским друзья́м, а пото́м все вме́сте пойдём в теа́тр. Друзья́ уже́ купи́ли хоро́шие биле́ты: пя́тый ряд парте́ра, места́ **11-ое (оди́ннадцатое)**, **12-ое (двена́дцатое)**, **13-ое (трина́дцатое)** и **14-ое (четы́рнадцатое)**.

День четвёртый: е́дем в Петербу́рг на по́езде «Сапса́н», оте́ль в Петербу́рге, пе́рвый у́жин в но́вом го́роде.

День пя́тый: смо́трим центр го́рода и изве́стные музе́и – Эрмита́ж и Ру́сский музе́й.

День шесто́й: е́дем в Петерго́ф, Па́вловск и́ли Ца́рское Село́ (са́мые краси́вые места́ недалеко́ от Петербу́рга).

День седьмо́й: е́дем в Москву́, гуля́ем по Кра́сной пло́щади, пото́м аэропо́рт – и лети́м домо́й.

Хоро́ший план, пра́вда? **Я уве́рен** (sure), что нам понра́вятся Москва́ и Петербу́рг, и мы захоти́м прие́хать сюда́ и во второ́й, и в тре́тий раз...

ОБЗО́РНАЯ СТРАНИ́ЦА

1. You already know a question **Почему́?** (Why?) and an answer in beginning with word **Потому́ что**... (Because...):

   Почему́ вы не рабо́таете? — Потому́ что сего́дня воскресе́нье...

2. You know word **Поэ́тому**... (therefore):

   Я хочу́ рабо́тать в Росси́и, **поэ́тому** изуча́ю ру́сский язы́к.

3. You know a group of Russian verbs: **учи́ть** (to learn or to teach), **изуча́ть** (to study *What?*) (any subject), **учи́ться** to study *Where?* (at...) and **занима́ться** (to study yourself, for your fun or pleasure):

   Мой сын **у́чится** в шко́ле. Сейча́с ве́чер, сын **занима́ется** до́ма — он **у́чит** физи́ческие фо́рмулы, потому́ что он хо́чет **изуча́ть** фи́зику в университе́те.

4. You know word **э́тот** (**э́та**, **э́то**, **э́ти**) (this one) and **тот** (**та**, **то**, **те**) (that one) and remember that they have the same Case endings as ajectives, exept Nomin, and Ass. case:

   Да́йте мне, пожа́луйста, **э́тот** журна́л, **э́ту** газе́т**у** и **э́ти** кни́г**и**...

5. You've got a new question for Prepositional case in Russian: **О чём?** (what about?), **О ком?** (whom about?):

   Я ча́сто ду́маю **о до́ме**, **о бра́те** и **сестре́**, **о на́ших роди́телях**...

6. You know Ordinal numbers: **пе́рвый**, **второ́й**... и т.д. (first, second...etc.):

   Я в Москве́ **пе́рвый** раз и сейча́с купи́л мою́ **пе́рвую** ру́сскую кни́гу...

Скажи́те, пожа́луйста:

1. Вы сейча́с у́читесь и́ли рабо́таете?
2. Почему́ вы изуча́ете ру́сский язы́к?
3. Где вы его́ изуча́ете?

4. Вы мно́го занима́етесь?
5. Как вы ду́маете, э́тот язы́к краси́вый?
6. О чём вы лю́бите чита́ть?
7. О ком вы ча́сто ду́маете?

Now, let's try to read a new text and then to use it as a model for your story about yourself.

Но́вые слова́ и выраже́ния / *New words and expressions*

расска́зывать [rasskázyvat'i] — **рассказа́ть** *что? о ком? о чём? кому?*	to tell the story... whom about? what about? — to whom?
о себе́ [asiebié]	about myself (yourself... etc)
говори́ть	to tell, to speak
сказа́ть *что? о ком? о чём? кому?*	to say
роди́ться [raditsa]	to be born
вы́расти [výrasti] — **вы́рос** [výras], **вы́росла**, **вы́росли**	to be grown (Past.)
столи́ца [stalítsa]	capital
предме́т [predmét]	subject
бо́льше всего́ [ból'she fsivó]	most of all
МГУ — Моско́вский госуда́рственный университе́т и́мени Ломоно́сова	MGU — Moscow State Lomonosov University
прекра́сный [prekrásnyĭ]	beautiful
познако́миться [paznakómitsa]	to make acquaintance with...
бу́дущий [búdushchiy]	future
жена́ и **муж** [zhyná i mush]	wife and husband

ОБЗО́РНАЯ СТРАНИ́ЦА

ско́ро [skóra]	soon
ждать ребёнка [zhdat' riebiónka]	to waite a baby (to be pregnant)
окно́ [aknó]	window
люби́мый [liubimyiĭ]	favourite
Споко́йной но́чи! [spakóynay nóche]	Goodnight!

Немно́го о себе́

Я **расскажу́** вам о **себе́**.

Меня́ зову́т Влади́мир. Я **роди́лся**, **вы́рос** и живу́ в Москве́. Вы, коне́чно, зна́ете, что Москва́ — **столи́ца** Росси́и. Это ста́рый, о́чень большо́й и, я ду́маю, краси́вый го́род. Здесь я учи́лся в шко́ле, пото́м в университе́те.

В шко́ле я изуча́л ра́зные **предме́ты**: фи́зику и матема́тику, литерату́ру и исто́рию, биоло́гию и хи́мию, ру́сский и англи́йский языки́. Но **бо́льше всего́** я люби́л математику и компью́теры, поэ́тому я хоте́л учи́ться в университе́те.

В **МГУ** я учи́лся 5 лет. Я хорошо́ по́мню (remember) и люблю́ э́то вре́мя. Днём я учи́лся — слу́шал ле́кции, занима́лся в библиоте́ке, а ве́чером я люби́л ходи́ть по у́лицам Москвы́, смотре́ть, как живёт э́тот ста́рый **прекра́сный** го́род.

В Москве́ о́чень мно́го люде́й — почти́ 12 миллио́нов челове́к. И ка́ждый день э́ти лю́ди иду́т, е́дут на рабо́ту и в шко́лу, в магази́н и в библиоте́ку, в теа́тр и́ли на конце́рт, в кино́ и́ли в клуб. Все они́ спеша́т, потому́ что им на́до мно́го сде́лать.

Ве́чером я ча́сто ходи́л в студе́нческий клуб, потому́ что там мо́жно бы́ло недо́рого поу́жинать, поговори́ть, посмотре́ть видео... В клу́бе я **познако́мился** с мое́й **бу́дущей жено́й** — Ле́ной. Она́ то́же учи́лась в университе́те.

Сейча́с мне 30 лет. Я рабо́таю в большо́й фи́рме, у меня́ есть семья́, интере́сная рабо́та, де́ньги. Наш сын ещё ма́ленький, ему́ то́лько 3 го́да. Мы ду́маем, что ему́ о́чень нужна́ сестра́, поэ́тому у нас **ско́ро** бу́дет и дочь. Моя́ жена́ сейча́с не рабо́тает, потому́ что она́ **ждёт ребёнка**. Мы живём в це́нтре Москвы́ в большо́м краси́вом до́ме на деся́том этаже́. Ча́сто ве́чером я, жена́ и наш ма́ленький сын смо́трим в **окно́** на наш **люби́мый родно́й** го́род, и я расска́зываю сы́ну о Москве́, об университе́те, о музе́ях и теа́трах. А пото́м мы говори́м: «**Споко́йной но́чи**, Москва́!»

За́втра бу́дет но́вый день, и мои́ де́ти то́же бу́дут люби́ть Москву́, как и я.

А сейча́с расскажи́те, пожа́луйста, о себе́.

Как вас зову́т? Ско́лько вам лет? Где вы живёте, рабо́таете и́ли у́читесь?

Каки́е предме́ты вы изуча́ли в шко́ле (в университе́те, в ко́лледже...)?

Вы лю́бите ваш родно́й го́род? Что вы мо́жете рассказа́ть о нём? Он большо́й и́ли ма́ленький, ста́рый и́ли не о́чень, краси́вый и́ли нет?

У вас е́сть семья́? Расскажи́те о ней. У вас е́сть муж (жена́), де́ти? Ско́лько им лет?

У вас е́сть роди́тели? Ско́лько им лет? Где они́ живу́т и рабо́тают?

Что вы обы́чно де́лаете ве́чером, в свобо́дное вре́мя?

Ask some questions to your frend about his (her) age, life, family, home city... etc.

9-4563

ВМЕ́СТЕ *с кем? с чем?*
TOGETHER WITH ...

Твори́тельный паде́ж / Instrumental case

It is the last case forms for studying. Of course, in this book we don't give you all the situations in which we use every case — it is too much!

But later, step by step, you will get more and more knowledge about the most difficult but beautiful language.

	Singular			Plural
	masc.	neut.	fem.	
Noun *кем?* *чем?*	**-ом**, **-ем** студе́нт**ом** музе́**ем**	**-ом**, **-ем** окн**о́м** мо́р**ем**	**-ой**, **-ей**, **-ью** студе́нтк**ой** Росси́**ей** до́чер**ью**	**-ами**, **-ями** студе́нт**ами** о́кн**ами** дочер**я́ми**
Pronoun *кем?* *чем?*	мн**о́й**, тоб**о́й** (н)**им**	им	мн**о́й**, тоб**о́й** (н)**ей** **(е́ю)**	н**а́ми**, в**а́ми** (н)**и́ми**
Poss. pron.	***чьим?*** мо**и́м**, тво**и́м** на́ш**им**, ва́ш**им** **его́**		***чьей?*** мо**е́й**, тво**е́й** на́ш**ей**, ва́ш**ей** **её**	***чьи́ми?*** мо**и́ми**, тво**и́ми** на́ш**ими**, ва́ш**ими** **их**
Adjective	*каки́м?* **-ым**, **-им** больш**и́м** но́в**ым** хоро́ш**им**		*како́й?* **-ой**, **-ей** больш**о́й** но́в**ой** хоро́ш**ей**	*каки́ми?* **-ыми**, **-ими** больш**и́ми** но́в**ыми** хоро́ш**ими**

Я занима́юсь в библиоте́ке **вме́сте с** на́ш**им** но́в**ым** студе́нт**ом**, **с** на́ш**ей** но́в**ой** студе́нтк**ой**, **с** на́ш**ими** но́в**ыми** студе́нт**ами**.

Я люблю́ ко́фе **с** молок**о́м**.

When do we use Instrumental case?

1 If we need any action *together with* smb. or smth. Then Russian has special word вме́сте (together) and preposition **с** (with), and we can use both of them or only preposition с:

Я был в теа́тре **(вме́сте) с** мо**и́м** мла́дш**им** бра́т**ом** и мо**е́й** ста́рш**ей** сестр**о́й**.

2 To make the acquaintance (of) — **познако́миться с**... [paznakómitsa]:

Я хочу́ **познако́миться с** ва́ми.

To meet with smb. — **встре́титься с**... [fstrétitsa]:

Где мы с ва́ми **встре́тимся**?

3 Когда? When?

у́тром	**днём**	**ве́чером**	**но́чью**
in the morning	in the afternoon	in the evening	at night
весно́й	**ле́том**	**о́сенью**	**зимо́й**
in spring	in summer	in autumn	in winter

4 Constructions with verb *to be* (in the infinitive, past or future tense):

Я хочу́ быть инжене́ром. Он **был** дире́ктором. Она́ **бу́дет** хоро́шей студе́нткой.

Диало́ги

1. — Анна, с кем ты была́ в кино́?
   — С Ви́ктором.

2. — Ви́ктор, вме́сте с кем ты у́чишься?
   — Я учу́сь вме́сте с Анной.

3. — Анто́н, ты живёшь вме́сте с роди́телями?
   — Нет, я не живу́ сейча́с с ни́ми. Я живу́ оди́н.

4. — С кем вы познако́мились в клу́бе?
— С америка́нскими и кита́йскими студе́нтами.

5. — Я хочу́ познако́миться с ва́ми. Меня́ зову́т Ива́н. А вас?
— Меня́ зову́т Ма́ша. Очень прия́тно!

6. — Ма́ша, мой брат был в Аме́рике. Хо́чешь познако́миться и поговори́ть с ним?
— С удово́льствием. Где он?
— Вот он идёт... Ива́н, иди́ сюда́! Познако́мьтесь. Это мой брат Ива́н.
— А мы уже́ знако́мы! Мы то́лько что познако́мились с Ма́шей. Ма́ша, мы с сестро́й идём в кафе́. Хоти́те с на́ми? Там я бу́ду расска́зывать сестре́ об Аме́рике.
— Да, я с удово́льствием послу́шаю ва́ши расска́зы.

7. — Ива́н, кем вы рабо́таете?
— Я журнали́ст, рабо́таю в газе́те «Аргуме́нты и фа́кты». Весно́й и ле́том в Аме́рике я рабо́тал не то́лько журнали́стом, но и опера́тором. А вы, Ма́ша, студе́нтка?
— Да. Но ско́ро я бу́ду экономи́стом.
— Серьёзная профе́ссия. Она́ нужна́ в на́ше вре́мя. Рад был поговори́ть с ва́ми.
— Я то́же.

Скажи́те, пожа́луйста:

1. С кем вы хо́дите в кино́, теа́тр, в рестора́н?
2. Когда́ вы смо́трите телеви́зор: у́тром и́ли ве́чером?
3. Когда́ вы хоти́те пое́хать в Росси́ю: зимо́й и́ли ле́том?
4. Когда́ в Росси́и о́чень хо́лодно?
5. Когда́ во Флори́де тепло́?
6. С кем вы встре́титесь сего́дня у́тром?
7. Где вы познако́мились с ва́шим дру́гом (с ва́шей подру́гой)?

Put the words from brackets in necessary form:

1. Вчера́ я был в кино́ с ... (мой друг).
2. В Москве́ я познако́мился с ... (интере́сная де́вушка). Мы ча́сто хо́дим с ... (она́) на дискоте́ку.
3. Я ка́ждый ве́чер говорю́ по телефо́ну с ... (ма́ма).
4. Сего́дня по́сле обе́да я до́лжен встре́титься с ... (дире́ктор и его́ пресс-секрета́рь).
5. Я люблю́ ко́фе с ... (молоко́), но никогда́ не пью чай с ... (молоко́).
6. Когда́ мой брат был ма́леньким, он хоте́л быть ... (врач = до́ктор), а сейча́с он у́чится в университе́те и хо́чет быть ... (журнали́ст).
7. Вы пое́дете в Евро́пу ... (о́сень и́ли зима́)?

ДА́ТЫ
DATES

— Како́е сего́дня число́? [kakóye sievódnia chisló?]	— What is the date today?
— Сего́дня пе́рвое января́ (пя́тое ма́рта, седьмо́е ма́я). [sievódnia piérvaye yenvariá (piátaye márta, sied'móye máya)]	— Today is the first of January (05.03, 07.05).

The name of the month we put **in Genitive case**.

Когда́?

Пе́рв**ого** январ**я́** (пя́т**ого** ма́рт**а**).	On the First of January (05.03). Every word we put in **Gen.** No preposition.
В январ**е́**. В ма́рт**е**.	In January, in March... etc. Every word we put in **Prep.** preposition **“В”**.
В э́т**ом** ме́сяц**е**. В про́шл**ом** ме́сяц**е**.	This month. Last month.
В бу́дущ**ем** (= сле́дующ**ем**) ме́сяц**е**.	Next month. Every word we put in **Prep.** preposition **“В”**.
На э́т**ой** неде́л**е**. На про́шл**ой** неде́л**е**.	This week. Last week.
На бу́дущ**ей** (= сле́дующ**ей**) неде́л**е**.	Next week. Every word we put in **Prep.** preposition **“НА”**.
В э́т**ом** год**у́**. В про́шл**ом** год**у́**.	This year. Last year.
В бу́дущ**ем** (= в сле́дующ**ем**) год**у́**.	Next year. Every word we put in **Prep.** preposition **“В”**.
В ты́сяча девятьсо́т девяно́сто вось-м**о́м** год**у́**.	In 1998... Only the last two words we put in **Prep.** preposition **“В”**.
В ма́рт**е** ты́сяча девятьсо́т девяно́сто восьм**о́го** го́д**а**.	In March of nineteen ninety eight... The name of a month — **Prep.**, the last two words are in **Gen.** preposition **“В”**.
Пя́т**ого** ма́рт**а** ты́сяча девятьсо́т де-вяно́сто восьм**о́го** го́д**а**.	05.03.98 **Gen.** without preposition!

1. — Анна, **в како́м ме́сяце** ты родила́сь?
— **В** ма́рт**е**. А ты, Ви́ктор?
— Я роди́лся **в** а́вгуст**е**.

2. — Ви́ктор, ты роди́лся **в** ма**е**?
— Нет, Анна, **в** а́вгуст**е**. А моя́ сестра́ родила́сь **в** ма́**е**.

3. — Когда́ вы родили́сь?
— Два́дцать пе́рв**ого** ма́**я** ты́сяч**а** девятьсо́т се́мьдесят шест**о́го** го́д**а** (21.05.76).

4. — **На** про́шл**ой** неде́л**е** я посмотре́л но́вый фильм. Вы уже́ посмотрели его́?
— Нет, я хочу́ пойти́ **на** сле́дующ**ей** неде́л**е**.

5. — Когда́ вы пое́дете в Москву́?
— **В** сле́дующ**ем** ме́сяц**е** — **в** октябр**е́**. А вы были в Москве́?
— Да, **в** про́шл**ом** год**у́**.

6. — **В** про́шл**ом** год**у́** мой брат учи́лся в шко́ле, а в э́т**ом** год**у́** он уже́ студе́нт университе́та. **В** э́т**ом** год**у́** я ещё студе́нт, а **в** бу́дущ**ем** год**у́** я бу́ду рабо́тать.
— Да, вре́мя идёт бы́стро! Совсе́м неда́вно (recently) вы бы́ли детьми́, а сейча́с вы уже́ молоды́е лю́ди!

7. — Како́е сего́дня число́? Пятое?
— Нет, уже́ шесто́е ма́рта. На сле́дующей неде́ле я пое́ду в Со́чи.
— В ма́рте в Со́чи не о́чень хоро́шая пого́да. Туда́ лу́чше е́хать в ма́е и́ли ию́не.
— В ию́не я хочу́ пое́хать в Петербу́рг, посмотре́ть бе́лые но́чи.

Скажи́те, пожа́луйста:

1. Како́е сего́дня число́?
2. Како́е число́ бы́ло вчера́?
3. Како́е число́ бу́дет за́втра?
4. В како́м году́ вы родили́сь?
5. В како́м году́ родили́сь ва́ши роди́тели, бра́тья, сёстры, друзья́?
6. В како́м ме́сяце вы родили́сь?
7. Когда́ вы родили́сь?
8. На про́шлой неде́ле вы бы́ли в кино́?
9. Вы пойдёте в теа́тр на сле́дующей неде́ле и́ли в сле́дующем ме́сяце?
10. Где вы жи́ли в про́шлом году́?
11. В бу́дущем году́ вы бу́дете изуча́ть ру́сский язы́к?
12. Когда́ был ваш пе́рвый уро́к ру́сского языка́?
13. Когда́ бу́дет Но́вый год?
14. В про́шлом ме́сяце бы́ло тепло́ и́ли хо́лодно?

Текст

Юрий Гага́рин, пе́рвый космона́вт ми́ра, роди́лся 9 ма́рта 1934 (девя́того ма́рта ты́сяча девятьсо́т три́дцать четвёртого) го́да. В 1957 (ты́сяча девятьсо́т пятьдеся́т седьмо́м) году́ он жени́лся, а в 1959 (ты́сяча девятьсо́т пятьдеся́т девя́том) году́ Гага́рин на́чал учи́ться в гру́ппе бу́дущих космона́втов.

12.04.1961 (двена́дцатого апре́ля ты́сяча девятьсо́т шестьдеся́т пе́рвого) го́да пе́рвый челове́к на́шей плане́ты Земля́ полете́л в ко́смос!

К сожале́нию, Юрий Гага́рин жил немно́го — то́лько 34 го́да. 27.03.1968 (два́дцать седьмо́го ма́рта ты́сяча девятьсо́т шестьдеся́т восьмо́го) го́да он поги́б (perished).

ОБЗО́РНАЯ СТРАНИ́ЦА

By now you already know the new russian case — Instrumental — and when we use it:

1. Any action together with smb. or smth.:

Я был в кино́ (вме́сте) **с мои́м ста́рым дру́гом**.
Я чита́л текст **со словарём** (with dictionary).

2. Some verbs need an object in Instr. case:
познако́миться с ..., **встре́титься с** ... :

В Москве́ я **познако́мился** с Ви́ктором и Анной. Мы **встре́тились** с ни́ми в клу́бе.

3. **Когда́? — Зимо́й**, **весно́й**, **ле́том**, **о́сенью**, **у́тром**, **днём**, **ве́чером**, **но́чью** — these 8 words are used in Instr. case:

Зимо́й в Москве́ хо́лодно.
Весно́й я поéду в Москву́.
Ле́том я бу́ду ходи́ть в музе́и и теа́тры.
Осенью он бу́дет учи́ться в ко́лледже.
Утром сестра́ бу́дет занима́ться в бибилиоте́ке.
Днём они́ бы́ли в па́рке.
Ве́чером я люблю́ смотре́ть телеви́зор.
Она́ ча́сто рабо́тает **но́чью**.

4. I want to be... / I work as ... | (an engineer) | **Я хочу́ быть** / **Я рабо́таю** | *кем?* (инжене́ром)

Мой сын **хо́чет** быть врачо́м, как па́па.

And you touched upon a very complicated block of grammar — a mixture of cases if we want to say dates. It is really difficult! Learn it by heart!

10-1563

ОБЗО́РНАЯ СТРАНИ́ЦА

Now try to answer next questions:

1. С кем вы лю́бите ходи́ть в кино́ и́ли теа́тр?
2. Вы чита́ете те́ксты со словарём и́ли без (without) словаря́?
3. Когда́ вы хоти́те пое́хать в Петербу́рг: ле́том и́ли зимо́й?
4. Вы родили́сь в ма́е?
5. Вы изуча́ли ру́сский язы́к в про́шлом году́?
6. На про́шлой неде́ле вы ходи́ли в музе́й?
7. Куда́ вы хоти́те пое́хать в бу́дущем году́?
8. Где вы бы́ли в январе́ 1999 (ты́сяча девятьсо́т девяно́сто девя́того) го́да?
9. Когда́ роди́лся ру́сский поэ́т А.С. Пу́шкин? (06.06.1799)
10. Како́е сего́дня число́? Како́й сего́дня день?

Прочита́йте расска́з. Обрати́те внима́ние на употребле́ние падеже́й.

Расска́з в падежа́х

Nom. Это мой но́вый друг и моя́ но́вая подру́га. Их зову́т Игорь и Ни́на. Игорь и Ни́на — муж и жена́. **Они́** москвичи́.

Gen. Это дом моего́ но́вого дру́га Игоря и мое́й но́вой подру́ги Ни́ны. Но сего́дня до́ма нет моего́ но́вого дру́га Игоря и мое́й но́вой подру́ги Ни́ны. **У них** много́ рабо́ты. 5-ого ма́рта у мои́х друзе́й бу́дет собы́тие — день сва́дьбы.

Dat. Моему́ но́вому дру́гу Игорю 30 лет, а мое́й но́вой подру́ге Ни́не 28 лет. Моему́ но́вому дру́гу Игорю нра́вится о́пера, а мое́й но́вой подру́ге Ни́не нра́вится бале́т. За́втра ве́чером я хочу́ пойти́ в го́сти к моему́ но́вому дру́гу Игорю и к мое́й но́вой подру́ге Ни́не. Я купи́ла кни́гу моему́ но́вому дру́гу Игорю и цветы́ мое́й но́вой подру́ге Ни́не. Я подарю́ **им** кни́гу и цветы́.

Acc. В пя́тницу я встре́тила на у́лице моего́ но́вого дру́га Игоря и мою́ но́вую подру́гу Ни́ну. Я пригласи́ла **их** в теа́тр.

Instr. В воскресе́нье я ходи́ла в теа́тр вме́сте с мои́м но́вым дру́гом Игорем и мое́й но́вой подру́гой Ни́ной. Я люблю́ ходи́ть **с ни́ми** в теа́тр.

Prep. Сейча́с я рассказа́ла о моём но́вом дру́ге Игоре и о мое́й но́вой подру́ге Ни́не. Тепе́рь вы немно́го зна́ете **о них**.

Испо́льзуя «Расска́з в падежа́х» как моде́ль, соста́вьте свой расска́з о бра́те и сестре́. Начни́те расска́з фра́зой:

Это мой брат Бори́с и моя́ сестра́ Ната́ша...

А сейча́с дава́йте посмо́трим, что, где и как вы уже́ мо́жете сказа́ть по-ру́сски.

1. Если вы хоти́те познако́миться, что вы обы́чно говори́те?
Наприме́р: «Здра́вствуйте! Дава́йте познако́мимся. Меня́ зову́т...»
Что ещё ну́жно сказа́ть?

2. Вы расска́зываете о себе́. Соста́вьте моноло́г. Вопро́сы помо́гут вам:
А) Как вас зову́т? Отку́да вы?
Б) Кто вы? (Кем вы рабо́таете?)
В) Где вы рабо́таете и́ли у́читесь?
Г) Что вы лю́бите? / Что вы не лю́бите?

3. Вы в магази́не. Вы хоти́те посмотре́ть, купи́ть, спроси́ть, ско́лько сто́ит...
Что вы говори́те?

4. Вы в ба́ре, в рестора́не, в кафе́...
Что вы говори́те?

ОБЗО́РНАЯ СТРАНИ́ЦА

5. Вы расска́зываете о семье́. Соста́вьте диало́г. Вопро́сы помо́гут вам:

А) Кака́я ва́ша семья́: больша́я и́ли небольша́я?
Б) Где живёт ва́ша семья́?
В) Кем и где рабо́тают ва́ши роди́тели?
Г) Где у́чатся бра́тья, сёстры?
Д) Как их зову́т?

6. В ваш о́фис пришёл но́вый колле́га. Что вы говори́те?
7. Расскажи́те, что вы обы́чно де́лаете в суббо́ту и воскресе́нье.
8. Вы хоти́те посмотре́ть центр го́рода, но не зна́ете, как туда́ е́хать. Что вы говори́те?
9. Каки́е сувени́ры и пода́рки вы хоти́те купи́ть в Росси́и? Кому́ вы хоти́те их подари́ть?
10. Скажи́те, пожа́луйста, почему́ вы изуча́ете ру́сский язы́к. Что вы хоти́те посмотре́ть в Росси́и?

Ну, вот! Сегодня вы уже можете сказать, что немного знаете русский язык и можете говорить по-русски.

Сколько времени вы изучали эту книгу: один месяц, два месяца?

Это очень хорошо, если вы занимались только месяц, потому что автор хотел дать вам базу русского языка очень быстро.

Но ничего, если вы учились больше! Русский язык очень трудный, но красивый! И мы думаем, что если вы будете изучать его серьёзно, вы сможете не только говорить на улице или в ресторане, но и читать прекрасную русскую литературу по-русски.

Всего хорошего!
До встречи в новой книге!

ПРИЛОЖЕ́НИЕ / Appendix

СВО́ДНАЯ ТАБЛИ́ЦА ПАДЕ́ЖНЫХ ОКОНЧА́НИЙ

Case	Pers. pronoun	Poss. pron.	Noun
Nom. **Кто?** **Что?** № 1	я мы ты вы он(á, ó) они́	мой(я, ё, и)... наш(а, е, и)... его́, её, их **чей? чьё? чья? чьи?**	журна́л письмо́ газе́та **t, -о, -е -а, -я, -ь** журна́лы газе́ты пи́сьма **-ы, -и, -а, -я**
Gen. **Кого́?** **Чего́?** № 2	меня́ нас тебя́ вас его́, её их	моего́(ей, их) на́шего(ей, их) его́, её, их **чьего́? чьей? чьих?** **-его, -ей, -их**	журна́ла письма́ **-а, -я** газе́ты **-ы, -и** журна́л**ов** газе́т...
Dat. **Кому́?** **Чему́?** № 3	мне нам тебе́ вам ему́, ей им	моему́(ей, им) на́шему(ей) его́, её, их **чьему́? чьей? чьим?** **-ему, -ей, -им**	журна́лу письму́ **-у, -ю** газе́те **-е, -и** журна́л**ам**, пи́сьм**ам**.

Adjective	Examples
но́вый **како́й?** -**ый**, -**ой**, -**ий** но́вое **како́е?** -**ое**, **ее** но́вая **кака́я?** -**ая**, -**яя** но́вые **каки́е?** -**ые**, -**ие**	Это мой но́вый журна́л и моя́ но́вая газе́та. У меня́ есть ру́сские друзья́. А.С. Пу́шкин — вели́кий ру́сский поэ́т. Меня́ зову́т Ви́ктор. Мне нра́вится э́тот ма́ленький го́род.
но́вого **како́го?** -**ого**, -**его** но́вой **како́й?** -**ой**, -**ей** но́вых **каки́х?** -**ых**, -**их**	Здесь нет моего́ но́вого журна́ла и мое́й но́вой газе́ты. Мы прие́хали из ра́зных стран. **из**, **от**, **с**, **до**, **у** = **о́коло** = **во́зле** = **недалеко́ от** = **бли́зко от**, + № 2 **далеко́ от**, **посреди́** 25-ого ма́рта 1987-ого го́да. Это дом моего́ отца́.
но́вому **како́му?** -**ому**, -**ему** но́вой **какой?** -**ой**, -**ей** но́вым **каки́м?** -**ым**, -**им**	Моему́ мла́дшему бра́ту 2 го́да. Мое́й ста́ршей сестре́ 27 лет. Я ча́сто звоню́ по телефо́ну свои́м роди́телям. Мы гуля́ли по го́роду. Экза́мен по ру́сскому языку́. **Мне нра́вится**... **помога́ть**, **меша́ть** + № 3 **сове́товать**

Case	Pers. pronoun	Poss. pron.	Noun
Acc. **Кого́?** **Что?** **Куда́?** **Когда́?** № 4	кого́? = Gen. что? = Nom.	моего́, твоего́ на́шего, ва́шего мою́, твою́, на́шу, ва́шу его́, её, их мой, твой, наш, ваш мою́, твою́, на́шу, ва́шу его́, её, их	бра́та, бра́тьев сестра́, сестёр го́рода, городо́в страны́, стран **-а, -у** **-я, -ю**
Instr. **(С) кем?** **(С) чем?** **Где?** **Когда́?** № 5	мной, на́ми тобо́й, ва́ми им, ей, и́ми	мои́м(ей, ими) на́шим(ей...) **(с) чьим?** **чьей? чьи́ми?** **-им, -ей, -ими**	журна́лом письмо́м **-ом, -ем** газе́той **-ой, -ей** журна́л**ами** газе́т**ами**
Prep. **О ком?** **О чём?** **Где?** **Когда́?** № 6	мне, нас тебе́, вас (о) нём (о) ней (о) них	моём(ей, их) на́шем(ей, их) **чьём? чьей? чьих?** **-ём, -ей, -их**	журна́ле письме́ газе́те **-е, -и** о журна́л**ах**

Adjective	Examples
нóвого **какóго?** нóвую **какýю?** нóвых **какúх?** нóвый **какóй?** нóвое **какóе?** нóвую **какýю?** нóвые **какúе?**	Я люблю́ своегó отцá и свою́ мáму. Я читáю мой нóвый журнáл и мою́ нóвую газéту. Я идý в Большóй теáтр на нóвую óперу. **в понедéльник**... **в срéду**
нóвым **какúм?** **-ым**, **-им** нóвой **какóй?** **-ой**, **-ей** нóвыми **какúми?** **-ыми**, **-ими**	Я идý в парк с моúм нóвым журнáлом и с моéй нóвой газéтой. **под = над** **пéред = за** + № 5 ýтром, днём, вéчером, нóчью зимóй, веснóй, лéтом, óсенью занимáться, интересовáться, увлекáться + № 5 быть, рабóтать + № 5
нóвом **какóм?** **-ом**, **-ем** нóвой **какóй?** **-ой**, **-ей** нóвых **какúх?** **-ых**, **-их**	Я дýмаю о дóме, о моéй млáдшей сестрé, о своúх родúтелях. Он забóтится о своём здорóвье. В моём нóвом журнáле есть интерéсная статья́. **В э́том** (прóшлом) годý, мéсяце, на э́той недéле..., в 1975-ом годý **В январé**...

РОДИ́ТЕЛЬНЫЙ ПАДЕ́Ж / Genitive plural множественного числа́ существи́тельных, прилага́тельных и притяжа́тельных местоиме́ний

Nom. sing. *Кто? Что?*	стол дом студе́нт	слова́рь ночь врач нож това́рищ мо́ре	кни́га су́мка окно́ письмо́	ле́кция зда́ние	музе́й санато́рий	ме́сяц брат стул лист де́рево
Gen. pl. *Кого́? Чего́?* мно́го / ма́ло не́сколько	столо́**в** домо́**в** студе́нт**ов**	словар**е́й** ноч**е́й** врач**е́й** нож**е́й** това́рищ**ей** мор**е́й** люд**е́й** друз**е́й**	книг су́м**ок** пи́с**ем**	ле́кц**ий** зда́н**ий**	музе́**ев** санато́ри**ев**	ме́сяц**ев** бра́т**ьев** сту́л**ьев** дере́в**ьев**

Каки́х?
-ых, -их

но́вых красивых хоро́ших

Чьих?
-ых, -их

мои́х твои́х на́ших ва́ших

Исключе́ния:

5–20, мно́го — раз, челове́к, солда́т, крестья́н, сынове́й, муже́й, ю́ношей

Запо́мните:

(па́л**ец**, за́**яц**) — роди́тельный падеж мн. ч. — па́льц**ев**, за́йц**ев**

но

(куп**е́ц**, молод**е́ц**) — роди́тельный падеж мн. ч. — купц**о́в**, молодц**о́в**

ГЛАГО́ЛЫ ДВИЖЕ́НИЯ С ПРИСТА́ВКАМИ / Verbs of motion with prefixes

ПО = to start going or to say about plans for future

Пойти́, пое́хать

В 8 часо́в утра́ муж пошёл на рабо́ту, сын пошёл в шко́лу, а жена́ пое́хала в магази́н.

На сле́дующей неде́ле я пое́ду в Петербу́рг.

Я хочу́ пое́хать в Африку.

Ве́чером мы пойдём в кино́.

ПО- short time motion (multidirectional verbs)

Ходи́ть, пое́здить по...

За́втра у́тром мне на́до походи́ть по магази́нам и купи́ть пода́рки к Рождеству́.

В воскресе́нье мы пое́здили по го́роду, посмотре́ли мно́го интере́сного.

Мы походи́ли по па́рку, пото́м пошли́ в кино́.

ПРИ- to arrive, to come back

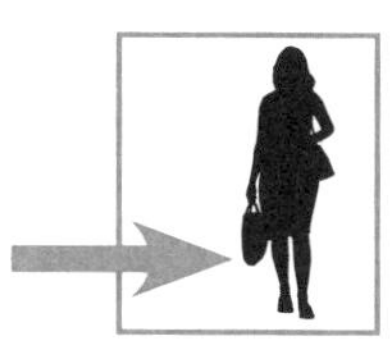

Прийти́, прие́хать, приходи́ть, приезжа́ть

Сего́дня Ка́тя пришла́ домо́й в 5 часо́в, но обы́чно она́ прихо́дит в 7.

Ка́ждый год моя́ сестра́ приезжа́ет в Москву́, но в э́том году́ она́ не прие́дет.

Я прие́хал в Росси́ю на неде́лю (= я сейча́с в Росси́и).

В про́шлом году́ моя́ мать приезжа́ла в Москву́ (сейча́с она́ не в Москве́).

У- to leave

Уйти́, уе́хать, уходи́ть, уезжа́ть

Я хоте́л поговори́ть с дире́ктором, но он уже́ уе́хал домо́й.

Обы́чно оте́ц у́тром ухо́дит на рабо́ту в 8 часо́в. Сего́дня он ушёл в 9.

Ка́ждое ле́то мы уезжа́ем из Москвы́ на да́чу.

В- to enter

Войти́, въе́хать, входи́ть, въезжа́ть

Ка́тя вошла́ в ко́мнату и включи́ла свет.

Входи́те в авто́бус побыстре́е.

Мо́жно войти́? — Пожа́луйста.

Посмотри́, маши́на па́пы уже́ въезжа́ет во двор.

Бы́ло по́здно, когда́ мы въе́хали во двор.

ВЫ- exit

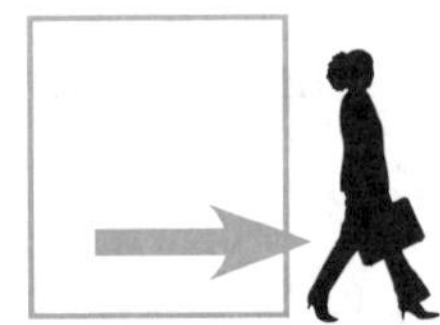

Вы́йти, вы́ехать, выходи́ть, выезжа́ть

Ка́тя вы́шла из ко́мнаты и закры́ла дверь.

Вы выхо́дите на сле́дующей остано́вке?

Мо́жно вы́йти? — Да, коне́чно.

Ка́ждые выходны́е москвичи́ выезжа́ют на да́чу.

В пя́тницу тру́дно вы́ехать из го́рода на маши́не из-за про́бок.

ПОД-... к *кому́? к чему́?* to approach

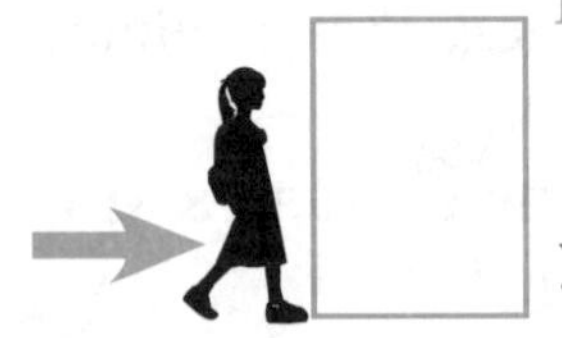

Подойти́, подъе́хать, подходи́ть, подъезжа́ть к...

Мы подошли́ к ка́ссе и купи́ли биле́ты.

Ка́ждое у́тро я подхожу́ к окну́ и смотрю́ на у́лицу.

Ско́лько нам ещё е́хать? — Недо́лго. Смотри́, мы уже́ подъезжа́ем к Москве́.

Мы подъе́хали к магази́ну и вы́шли из маши́ны.

ОТ-... от *кого́? от чего́?* to go away or departure

Отойти́, отъе́хать, отходи́ть, отъезжа́ть от...

Де́вушка отошла́ от до́ма на не́сколько ме́тров.

Ма́ша, отойди́ от па́пы: ты меша́ешь ему́ рабо́тать.

Мы чуть-чуть опозда́ли: наш авто́бус уже́ отъезжа́ет.

Маши́на слома́лась, когда́ мы отъе́хали от го́рода на не́сколько киломе́тров.

ЗА- to pick up. or to drop in or to visit smth. on your way

Зайти́, зае́хать, заходи́ть, заезжа́ть

По доро́ге в университе́т Анна зашла́ в магази́н и купи́ла сок.

Обы́чно по пути́ на рабо́ту я захожу́ в бар вы́пить ко́фе.

Ка́ждый ве́чер по́сле рабо́ты я заезжа́ю к ма́тери, завожу́ проду́кты.

Сего́дня по́сле рабо́ты я до́лжен зае́хать к ма́тери, завезти́ ей проду́кты.

ПРО- **ми́мо** *кого́? чего́?* to pass(by)

Пройти́, прое́хать, проходи́ть, проезжа́ть

Ка́тя прошла́ ми́мо магази́на.

Разреши́те пройти́!

Вчера́ мой друг прошёл ми́мо меня́ и не останови́лся.

Я бы хоте́л прое́хать че́рез всю Росси́ю с за́пада на восто́к.

че́рез *что?* to go through

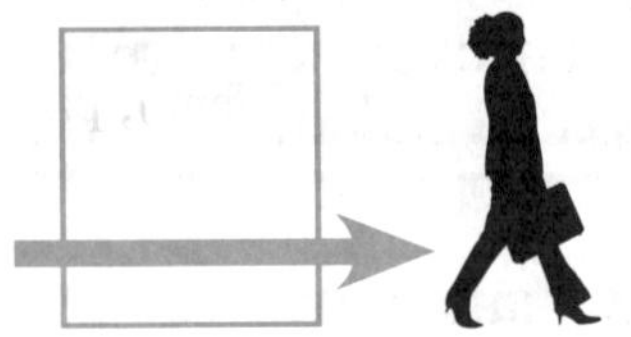

ПЕРЕ- (**че́рез**) *что?* to cross

Переходи́ть, переезжа́ть

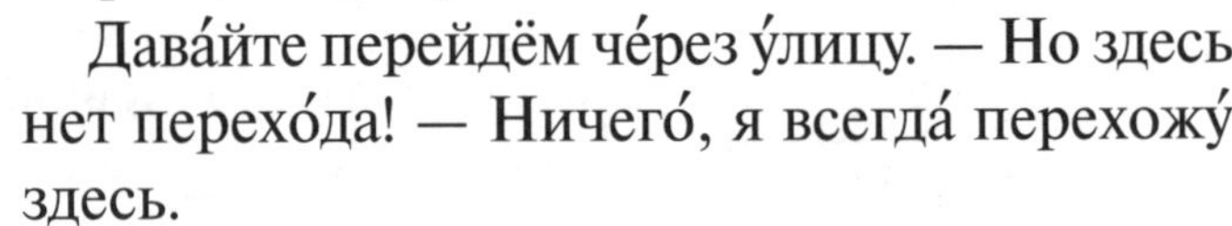

Дава́йте перейдём че́рез у́лицу. — Но здесь нет перехо́да! — Ничего́, я всегда́ перехожу́ здесь.

Как я люблю́ переезжа́ть с ме́ста на ме́сто!

Мы перее́хали ре́ку по мосту́.

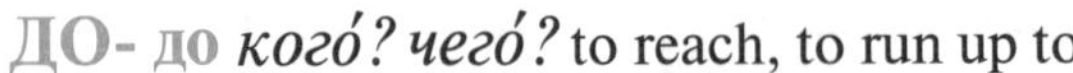

ДО- **до** *кого́? чего́?* to reach, to run up to

Дойти́, дое́хать, доходи́ть, доезжа́ть

Наконе́ц он дошёл до до́ма!

Как дое́хать до це́нтра? — Лу́чше всего́ на метро́.

Когда́ мы гуля́ем, мы обы́чно дохо́дим до конца́ у́лицы, а пото́м идём обра́тно.

НЕ́КОТОРЫЕ ЛЕ́КСИКО-ГРАММАТИ́ЧЕСКИЕ И ИДИОМАТИ́ЧЕСКИЕ ВЫРАЖЕ́НИЯ С ГЛАГО́ЛАМИ ДВИЖЕ́НИЯ / Some Russian idioms with verbs of motion

1. Входи́те! Войди́те! – так говоря́т, когда́ приглаша́ют войти́ в кабине́т бо́сса, врача́ и т.д.:

   — До́ктор, мо́жно войти́?
   — Входи́те!

2. О семе́йных отноше́ниях: выходи́ть / вы́йти за́муж (to be married-fem.), разойти́сь (to be separated).

   В про́шлом году́ моя́ дочь вы́шла за́муж.

   — Вы за́мужем?
   — Нет, мы разошли́сь 2 го́да наза́д.

3. Мне везёт (повезло́)! (I am lucky.)

   Мне везёт в жи́зни: у меня́ есть хоро́шая рабо́та, де́ньги, семья́.

4. Тебе́ идёт! (It suits You.)

   Тебе́ идёт э́тот костю́м.

5. Вре́мя пошло́ (The process started), вы́шло (is over), идёт, бежи́т, лети́т...

   Студе́нты, сейча́с 9 часо́в — вре́мя пошло́: вы должны́ прочита́ть текст че́рез 20 мину́т.

6. *что?* вы́летело из головы́ = забы́л.

   Фами́лия актёра вы́летела у меня́ из головы́! (= Я забы́л фами́лию актёра).

7. «Всё прохо́дит — и э́то пройдёт» (из Би́блии).

8. (не) выхо́дит / (не) вы́шло — о нали́чии / отсу́тствии результа́та.

   Вчера́ мы хоте́ли пое́хать на да́чу, но не вы́шло: пого́да была́ плоха́я.

9. Как дое́хать (дойти́) до... (How can I get to...)

   Как дое́хать до це́нтра?

10. В разгово́рной ре́чи говоря́т глаго́лы в проше́дшем вре́мени: «пошёл», «пое́хал».

    А) Ну, мы пое́хали. До свида́ния! — пе́ред слова́ми проща́ния;
    Б) Пошли́ за́втра в кино́? — е́сли приглаша́ют куда́-нибудь в недалёком бу́дущем.

Учебное издание

КОПЫТИНА Галина Михайловна

ОЧЕНЬ ПРОСТО!

Русский язык для начинающих

Выпускающий редактор *Н.О. Козина*
Редактор *Н.М. Подъяпольская*
Редактор английского текста *Е.А. Егорова*
Корректор *Н.Н. Сутягина*
Вёрстка *Е.П. Бреславская*

Подписано в печать 18.06.2012 г. Формат 70×90/16
Объём 9,5 п.л. Тираж 1500 экз. Зак. 1563

Издательство ЗАО «Русский язык». Курсы
125047, Москва, 1-я Тверская-Ямская ул., д. 18
Тел./факс: +7(499) 251-08-45, тел.: +7(499) 250-48-68
email: russky_yazyk@mail.ru; ruskursy@mail.ru;
rkursy@gmail.com; ruskursy@gmail.com
www.rus-lang.ru

Отпечатано в ОАО «Щербинская типография»
117623, Москва, ул. Типографская, д. 10
Тел.: (495) 659-23-27

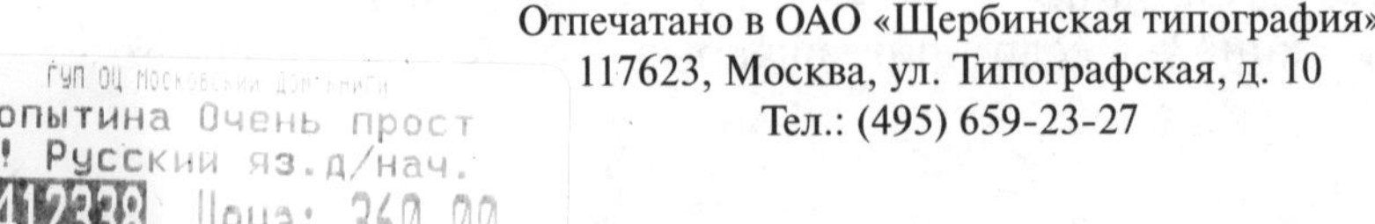